C000023931

Q7 a) 11 in = 11 × 2.5 = 27.5 cm
b) 275 mm

Q8 a) 21 feet = 21 × 12 = 252 in
b) 21 feet = 21 ÷ 3 = 7 yd
c) 21 feet = 21 × 0.3 = 6.3 m
d) 6.3 m = 630 cm
e) 630 cm = 6300 mm
f) 6.3 m = 0.0063 km

Q9 5 lb = 5 ÷ 2.2 = 2.27 kg. So Dick needs to buy <u>3 bags</u> of sugar.

Q10 a) £148.65   g) £81.50
b) £62.19   h) £13.51
c) £679.18   i) £272.65
d) £100   j) £307.25
e) £1.36   k) £408.16
f) £795.92   l) £0.68

Q11 a) 60 kg = 60 × 2.2 = 132 lbs
b) 132 lbs = 132 × 16 = 2112 oz.
c) 0.059 t = 59 kg, so Arnold can lift most.

Q12 a) 20 000 cm = 200 m
b) 200 000 cm = 2000 m = 2 km
c) 700 000 cm = 7000 m = 7 km
d) 200 000 000 cm^2 = 20 000 m^2 = 0.02 km^2

Q13 a) 1.67 m
b) 33.3 cm
c) 0.33 cm × 0.33 cm = 0.11 cm^2
d) 0.056 cm^2

Q14 a) £4.69
b) £51.07

Q15 Beer in the hotel costs 4 × 0.568 = €2.27 per pint.
€2.27 ÷ 1.15 = £1.98
So the beer is better value in the hotel.

Q16 1 m = 1.1 yards, so 1 m^2 = (1.1 yd)^2 = 1.21 yd^2.
£10.80 per sq. m = £10.80 ÷ 1.21 = £8.93 per sq. yard.
So the fabric superstore is cheaper.

Sequences and Finding the nth Term P.11-P.12

Q1 4

Q2 a) the third cube number (27)
b) 2 and 3

Q3 a) 16, 36, 64, 100
b) 81, 121, 169, 225
c) 15, 21, 28, 36

Q4 a) the triangular numbers
b) the powers of 10 starting from 10^3
c) the powers of 2 starting from 2^4

Q5 a) 12, 48, 192
b) 9, 17, 33
c) 8, 6, 5

Q6 a) 10, 100, 1000
b) 3, 4, 5
c) 3, 5, 7
d) 1, 4, 9
e) -2, 1, 6

Q7 a) 9, 11, 13, add 2 each time
b) 32, 64, 128, multiply by 2 each time
c) 30000, 300000, 3000000, multiply by 10 each time
d) 19, 23, 27, add 4 each time
e) -6, -11, -16, take 5 off each time

Q8 a) 2n c) 5n
b) 2n – 1   d) 3n + 2

Q9 a) 19, 22, 25, 3n + 4
b) 32, 37, 42, 5n + 7
c) 46, 56, 66, 10n – 4
d) 82, 89, 96, 7n + 47

Q10 a) 113 – 12n
b) 53, 41, 29, 17, 5

Q11 a) $16\frac{7}{8}$, $16\frac{9}{16}$, $16\frac{23}{32}$, $16\frac{41}{64}$
b) The 10th term will be the mean of the 8th and 9th.

Making Formulas from Words P.13

Q1 a) $x + 3$ d) y^2
b) $y – 7$ e) 10/b or 10 ÷ b
c) 4x or 4 × x f) $n + 5$

Q2 a) $y = 4x – 2$ b) $y = x^2 + 2x – 6$

Q3 a) $n + 3$ c) $n × 2$ or 2n
b) $n – 4$

Q4 a) 4d cm   b) d^2 cm^2

Q5 $C = 5h + 10$

Q6 a) -11   b) 19

Q7 a) 100 mins   b) 170 mins

Q8 $p = 4h + 6r$

Basic Algebra P.14-P.16

Q1 a) -27°C   d) +18°C
b) -22°C   e) +15°C
c) +12°C   f) -12°C

Q2 Expression b) is larger by 1.

Q3 a) –4x b) 18y

Q4 a) –1000, –10   c) 144, 16
b) –96, –6   d) 0, 0

Q5 -4

Q6 a) –6xy g) $\frac{-5x}{y}$
b) –16ab h) 3
c) 8x^2 i) –4
d) –16p^2 j) –10
e) $\frac{10x}{y}$ k) 4x
f) $\frac{-10x}{y}$ l) –8y

Q7 a) 15x^2 – x
b) 13x^2 – 5x
c) –7x^2 + 12x +12
d) 30abc + 12ab + 4b
e) 18pq + 8p
f) 17ab – 17a + b
g) 4pq – 5p –9q
h) 16x^2 – 4y^2
i) abc + 10ab – 11cd
j) –2x^2 + y^2 – z^2 + 6xy

Q8 a) $x^2 + 4x + 3x + 12 = x^2 + 7x + 12$
b) $4x^2 + 6x + 6x + 9 = 4x^2 + 12x + 9$
c) $15x^2 + 3x + 10x + 2 = 15x^2 + 13x + 2$

Q9 a) $4x + 4y – 4z$
b) $x^2 + 5x$
c) $–3x + 6$
d) $9a + 9b$
e) $–a + 4b$
f) $2x – 6$
g) $4e^2 – 2f^2 + 10ef$
h) $16m – 8n$
i) $6x^2 + 2x$
j) $–2ab + 11$
k) $–2x^2 – xz –2yz$
l) $3x – 6y – 5$
m) $–3a – 4b$
n) $14pqr + 8pq + 35qr$
o) $x^3 + x^2$
p) $4x^3 + 8x^2 + 4x$
q) $8a^2b + 24ab + 8ab^2$
r) $7p^2q + 7pq^2 – 7q$
s) $16x – 8y$

Q10 a) $x^2 – 2x – 3$
b) $x^2 + 2x – 15$
c) $x^2 + 13x + 30$
d) $x^2 – 7x + 10$
e) $x^2 – 5x – 14$
f) $28 – 11x + x^2$
g) $6x – 2 + 9x^2 – 3x = 9x^2 + 3x – 2$
h) $6x^2 – 12x + 4x – 8 = 6x^2 – 8x – 8$
i) $4x^2 + x – 12x – 3 = 4x^2 – 11x – 3$
j) $4x^2 – 8xy + 2xy – 4y^2$
   $= 4x^2 – 4y^2 – 6xy$
k) $12x^2 – 8xy + 24xy – 16y^2$
   $= 12x^2 – 16y^2 + 16xy$
l) $9x^2 + 4y^2 + 12xy$

Q11 $15x^2 + 10x – 6x – 4 = 15x^2 + 4x – 4$

Q12 $4x^2 – 4x + 1$

Q13 a) $(4x + 6)$ m
b) $(–3x^2 + 17x –10)$ m^2

Q14 a) $(8x + 20)$ cm
b) 40x cm^2
c) $40x – 12x = 28x$ cm^2

Q15 a) Perimeter — 3x + 29 cm
   Area — $\frac{7x + 126}{2}$ cm^2
b) Perimeter — $(8x + 4)$ cm
   Area — $(3x^2 + 14x – 24)$ cm^2
c) Perimeter — $(16x – 4)$ cm
   Area — $(16x^2 – 8x + 1)$ cm^2
d) Perimeter — $(10x + 4)$ cm
   Area — $(6x^2 – 5x – 6)$ cm^2

Q16 a) $a^2(b + c)$
b) $a^2(5 + 13b)$
c) $a^2(2b + 3c)$
d) $a^2(a + y)$
e) $a^2(2x + 3y + 4z)$
f) $a^2(b^2 + ac^2)$

Q17 a) $4xyz(1 + 2) = 12xyz$
b) $4xyz(2 + 3) = 20xyz$
c) $8xyz(1 + 2x)$
d) $4xyz^2(5xy + 4)$

SECTION ONE — UNIT A

Answers: P.17 — P.22

Solving Equations P.17-P.18

Q1 1

Q2
a) $x = \pm 3$
b) $x = \pm 6$
c) $x = \pm 3$
d) $x = \pm 3$
e) $x = \pm 1$

Q3
a) $x = 5$
b) $x = 4$
c) $x = 10$
d) $x = -6$
e) $x = 5$
f) $x = 9$

Q4
a) $x = 5$
b) $x = 2$
c) $x = 8$
d) $x = 17$
e) $x = 6$
f) $x = 5$
g) $x = \pm 2$

Q5 a) 15.5 cm   b) 37.2 cm

Q6 £15.50

Q7
a) $x = 9$
b) $x = 2$
c) $x = 3$
d) $x = 3$
e) $x = 4$
f) $x = -1$
g) $x = 15$
h) $x = 110$
i) $x = \pm 6$
j) $x = 66$
k) $x = 700$
l) $x = 7\frac{1}{2}$

Q8
a) Joan — £x
   Kate — £$2x$
   Linda — £$(x - 232)$
b) $4x - 232 = 2400$
   $4x = 2632$
   $x = 658$
c) Kate — £1316
   Linda — £426

Q9
a) $2x + 32$ cm
b) $12x$ cm²
c) $x = 3.2$

Q10
a) $x = 0.75$
b) $x = -1$
c) $x = -6$
d) $x = -1$
e) $x = 4$
f) $x = 13$

Q11 $x = 8$

Q12 $x = 1$

Q13 8 yrs

Q14 39, 35, 8

Q15
a) $y = 22$
b) $x = 8$
c) $z = -5$
d) $x = 19$
e) $x = 23$
f) $x = 7$
g) $x = \pm 3$
h) $x = \pm 4$
i) $x = \pm 7$

Q16 a) $x = 5$ b) $x = 9$

Q17 $x = 1\frac{1}{2}$ AB = 5 cm
                AC = 5½ cm
                BC = 7½ cm

Rearranging Formulas P.19-P.20

Q1
a) $h = \dfrac{10 - g}{4}$
b) $c = 2d - 4$
c) $k = 3 + \dfrac{j}{2}$
d) $b = \dfrac{3a}{2}$
e) $g = \dfrac{8f}{3}$
f) $x = 2(y + 3)$

g) $t = 6(s - 10)$
h) $q = \dfrac{\sqrt{p}}{2}$

Q2
a) $c = \dfrac{w - 500m}{50}$
b) 132

Q3
a) i) £38.00   ii) £48.00
b) $c = 28 + 0.25n$
c) $n = 4(c - 28)$
d) i) 24 miles   ii) 88 miles
   iii) 114 miles

Q4
a) $x = \sqrt{y + 2}$
b) $x = y^2 - 3$
c) $s = 2\sqrt{r}$
d) $g = 3f - 10$
e) $z = 5 - 2w$
f) $x = \sqrt{\dfrac{3v}{h}}$
g) $a = \dfrac{v^2 - u^2}{2s}$
h) $u = \sqrt{v^2 - 2as}$
i) $g = \dfrac{4\pi^2 h}{t^2}$

Q5
a) £Jx
b) $P = T - Jx$
c) $J = \dfrac{T - P}{x}$
d) £16

Q6
a) i) £2.04   ii) £3.48
b) $C = (12x + 60)$ pence
c) $x = \dfrac{C - 60}{12}$
d) i) 36   ii) 48   iii) 96

Q7
a) $x = \dfrac{z}{y + 2}$
b) $x = \dfrac{b}{a - 3}$
c) $x = \dfrac{y}{4 - z}$
d) $x = \dfrac{3z + y}{y + 5}$
e) $x = \dfrac{-2}{y - z}$ or $\dfrac{2}{z - y}$
f) $x = \dfrac{2y + 3z}{2 - z}$
g) $x = \dfrac{-y - wz}{yz - 1}$ or $\dfrac{y + wz}{1 - yz}$
h) $x = \dfrac{-z}{4}$

Q8
a) $p = \dfrac{4r - 2q}{q - 3}$
b) $g = \dfrac{5 - 2e}{f + 2}$
c) $b = \dfrac{3c + 2a}{a - c}$
d) $q = \pm\sqrt{\dfrac{4}{p - r}} = \pm\dfrac{2}{\sqrt{p - r}}$
e) $a = \dfrac{2c + 4b}{4 + c - d}$
f) $x = \pm\sqrt{\dfrac{-3y}{2}}$
g) $k = \pm\sqrt{\dfrac{14}{h - 1}}$
h) $x = \left(\dfrac{4 - y}{2 - z}\right)^2$

i) $a = \dfrac{b^2}{3 + b}$
j) $m = -7n$
k) $e = \dfrac{d}{50}$
l) $y = \dfrac{x}{3x + 2}$

Q9
a) $y = \dfrac{x}{x - 1}$
b) $y = \dfrac{-3 - 2x}{x - 1}$ or $\dfrac{2x + 3}{1 - x}$
c) $y = \pm\sqrt{\dfrac{x + 1}{2x - 1}}$
d) $y = \pm\sqrt{\dfrac{1 + 2x}{3x - 2}}$

Drawing Triangles P.21

Q1 AB = 55-56 mm

Q2

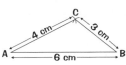

ACB = 116-118°.

Q3

PQ = 92-94 mm

Loci and Construction P.22-P.23

Q1

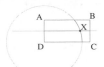

Not to scale

Q2

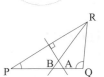

Not to scale

Length BA = 0.87 cm

Q3

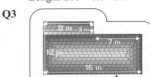

Not to scale

Q4

11.5cm   2.7cm   38°   11.5cm
Not to scale
Radius of the circle = 2.7 cm

Answers: P.23 — P.27

Q5
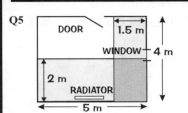
Not to scale

Q6
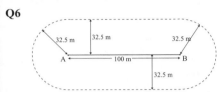

Q7
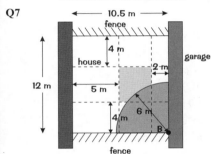
Not to scale

Q8 a)
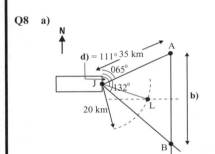

b) Length = 8.6 cm equivalent to 43 km.

c) and d) see diagram

Pythagoras' Theorem and Bearings P.24-P.25

Q1 a) 10.8 cm   f) 7.89 m
b) 6.10 m   g) 9.60 cm
c) 5 cm   h) 4.97 cm
d) 27.0 mm   i) 6.80 cm
e) 8.49 m   j) 8.5 cm

Q2 a = 3.32 cm   f = 8.62 m
b = 6 cm   g = 6.42 m
c = 6.26 m   h = 19.2 mm
d = 5.6 mm   i = 9.65 m
e = 7.08 mm   j = 48.7 mm

Q3 k = 6.55 cm   q = 7.07 cm
l = 4.87 m   r = 7.50 m
m = 6.01 m   s = 9.45 mm
n = 12.4 cm   t = 4.33 cm
p = 5.22 cm   u = 7.14 m

Q4 a) 065°   c) 130°
b) 215°   d) 310°

Q5 9.7 m

Q6 314 m

Q7 a) 12 cm, 7.94 cm
b) 40.9 cm

Q8 192 km

Q9 a)
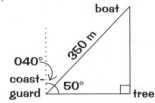

i) 268 m
ii) 225 m
b) $350^2 = 122\,500$.
$225^2 + 268^2 = 122\,449$

Q10
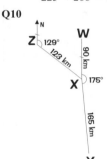

a) 96 km
b) 255 km
c) 266 km
d) 156°
e) 082°
f) 177°

Q11

2500 m, 010°

Q12
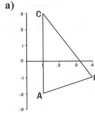

13.9 km from the starting point.
150° to return to base.

Trigonometry — Sin, Cos, Tan P.26-P.28

		(tan)	(sin)	(cos)
Q1	a)	0.306	0.292	0.956
	b)	8.14	0.993	0.122
	c)	0.0875	0.0872	0.996
	d)	0.532	0.469	0.883
	e)	1	0.707	0.707

Q2 a = 1.40 cm
b = 6 cm
θ = 28.1°
c = 5.31 cm
d = 10.8 cm

Q3 e = 12.6 cm
f = 11.3 cm
θ = 49.5°
g = 6.71 m
h = 30.1 cm

Q4 i = 4.89 cm
j = 3.79 cm
θ = 52.4°
k = 5.32 cm
l = 41.6 cm

Q5 m = 11.3 cm
n = 18.8 cm
p = 8.62 cm
q = 21.3 cm
r = 54.6°
t = 59.8 cm
u = 14.5 cm
v = 11.7 cm
w = 11.7 cm

Q6 a)

b) 36.9°

Q7 a)
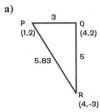

b) 59.0°
c) 31.0°

Q8 a)

b) 71.6°
c) 36.9°
d) 71.5°

Q9 2.1 m

Q10 62°

Answers: P.28 — P.33

Q11 20.5°

Q12

θ = 52.1°, bearing = 322°

Q13 a) both 30.8 cm **b)** 27.5 cm

Q14

base = 7.52 cm

Q15 a) 8.23 cm   **b)** 4.75 cm

Q16 a) 10.8 cm   **b)** 21.0°

Q17

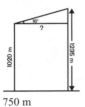

750 m

Q18

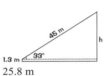

25.8 m

Q19

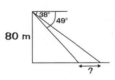

a) 102.4 m, 69.5 m   **b)** 32.9 m

Q20

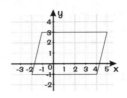

86.6 km

3D Pythagoras and Trigonometry P.29

Q1 a) 59.0°   **c)** 25 cm
     b) 23.3 cm   **d)** 21.1°

Q2 a) 42.5 cm   **b)** 50.9 cm

Q3 a) 36.1 cm, 21.5 cm, 31.0 cm
     b) 36.9 cm

Q4 a) 15.4 cm   **b)** 20.4 cm

Q5 The 85p box

Q6 3.82 cm

Coordinates P.30-P.31

Q1

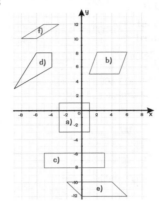

missing coordinate = (5,3)

Q2

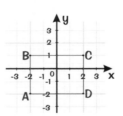

a) B is (1, -3)
b) C is (5, 5)
c) A is (-5, -8)
d) D is (-4, 6)
e) D is (0, -12)
f) C is (-3, 12)

Q3

C = (2, 1), D = (2, -2)

Q4 a) (3,4)
     b) (5.5,5)
     c) (5.5,11)
     d) (8.5,9)
     e) (3,3.5)
     f) (9.5,9.5)
     g) (20,41.5)
     h) (30.5,20.5)

Q5 (110, 135)

Q6 a) (2,5.5)
     b) (0.5,1.5)
     c) (2,–2.5)
     d) (1,–1)
     e) (2,3)
     f) (4,–0.5)
     g) (–13,–12.5)
     h) (–5,–7)

Q7 B (1, 5, 8), C (4, 5, 8), D (4, 2, 8)
E (4, 2, 3), F (1, 2, 3), G (1, 5, 3)

Coordinates and Pythagoras P.32

Q1 AB: 5 (don't need Pythagoras)
     CD: $\sqrt{10} = 3.16$
     EF: $\sqrt{13} = 3.61$
     GH: $\sqrt{8} = 2.83$
     JK: $\sqrt{5} = 2.24$
     LM: $\sqrt{26} = 5.10$
     PQ: $\sqrt{20} = 4.47$
     RS: $\sqrt{45} = 6.71$
     TU: $\sqrt{13} = 3.61$

Q2 a) 5
     b) $\sqrt{17} = 4.12$
     c) 5
     d) $\sqrt{58} = 7.62$
     e) $\sqrt{26} = 5.10$
     f) parallelogram

Q3 91.9 cm

Q4 5.0 m

Q5 a) $\sqrt{41} = 6.40$
     b) $\sqrt{98} = 9.90$
     c) $\sqrt{53} = 7.28$
     d) $\sqrt{34} = 5.83$
     e) 4 (don't need Pythagoras here)
     f) $\sqrt{37} = 6.08$

Q6 a) $\sqrt{10} = 3.16$
     b) $\sqrt{130} = 11.40$
     c) $\sqrt{8} = 2.83$
     d) $\sqrt{233} = 15.26$
     e) $\sqrt{353} = 18.79$
     f) $\sqrt{100} = 10$

Q7 4.58 m

Sampling Methods P.33

Q1 a) i) E.g. assign a number to every member of the population, generate a list of 100 random numbers and match these to the individuals.
     ii) E.g. divide the population into different age groups, calculate the proportion of the population in each group, then randomly select (proportion × 100) individuals from each group.
     b) A sample that doesn't fairly represent the whole population.

Q2 a) People in a newsagents are likely to be there to buy a newspaper.
     b) At that time on a Sunday, people who go to church are likely to be at church.
     c) The bridge club is unlikely to be representative of the population as a whole.

Q3 **c)** is the only suitable question as it is the only one which will always tell you which of the five desserts people like the most.

Q4 **a)** Do you play any team sports outside school?
Do you take part in any individual sports outside school?
Do you do any exercise at all outside school?
b) Pick at random 15 girls and 15 boys from each year.

Mean, Median, Mode and Range P.34-P.36

Q1 3 tries

Q2 mean = 1.333 (to 3 dp)
median = 1.5
mode = 2
range = 11

Q3 **a)** mean = £12,944, or £13,000 to the nearest £500
median = £12,000
mode = £7,500
b) mode
c) E.g. mean — they should use the highest value to attract people to the job.

Q4 **a)** 0 minutes
b) 0 minutes
c) 0 minutes
d) No, according to the raw data.

Q5 **a)** 22   **b)** 74

Q6 **a)** 3.5   **c)** 5
b) 3.5

Q7 **a)** Stall X: mean = 14.7, range = 8
Stall Y: mean = 16, range = 8
b) Stall Y, because although the ranges are the same, the mean mark is higher.

Q8 73.5 kg

Q9 20 kg

Q10 97%

Q11 **a)** Both spend a mean of 2 hours.
b) The range for Jim is 3 hours and for Bob is 2 hours.
c) The amount of TV that Jim watches each night is more variable than the amount that Bob watches.

Q12 **a)** 1 day
b) 2 days
c) The statement is true according to the data.

Q13 **a)** mode   **c)** mean
b) median

Q14   Scotland   England
a) mode =14 cm   mode = 16 cm
median = 15 cm   median = 16 cm
b) range = 4 cm   range = 7 cm
c) The English side. The orchids have a higher mode and median height.

Frequency Tables P.37-P.38

Q1 **a)** 12   **b)** 12

Q2 **a)**

Subject	M	E	F	A	S
Frequency	5	7	3	4	6

b) 36 French lessons
c) English

Q3

Length (m)	4 and under	6	8	10	12	14 and over
Frequency	3	5	6	4	1	1

a) 8 m
b) 8 m
c) 14 m

Q4

Weight (kg)	Frequency	Weight × Frequency
51	40	2040
52	30	1560
53	45	2385
54	10	540
55	5	275

a) 52 kg
b) 53 kg
c) 52 kg (to nearest kg)

Q5 mean = 3.75, mode = 3, median = 4

Q6 **a)** 4
b) 3
c) 3.2 (to 1 dp)

Q7 **a)** False, mode is 8.
b) False, they are equal.
c) True

Grouped Frequency Tables P.39

Q1 **a)**

Speed (km/h)	40≤s<45	45≤s<50	50≤s<55	55≤s<60	60≤s<65
Frequency	4	8	10	7	3
Mid-Interval	42.5	47.5	52.5	57.5	62.5
Frequency × Mid-Interval	170	380	525	402.5	187.5

Estimated mean = 52 km/h
(to nearest km/h)
b) 22 skiers
c) 20 skiers

Q2 **a)**

Weight (kg)	Tally	Frequency	Mid-Interval	Frequency × Mid-Interval
200 ≤ w < 250	IIII	4	225	900
250 ≤ w < 300	JHt	5	275	1375
300 ≤ w < 350	JHt II	7	325	2275
350 ≤ w < 400	II	2	375	750

b) 294 kg (to nearest kg)
c) 300 ≤ w < 350 kg

Q3 **a)**

Number	0≤n<0.2	0.2≤n<0.4	0.4≤n<0.6	0.6≤n<0.8	0.8≤n<1
Tally	JHt JHt II	JHt I	JHt JHt II	JHt JHt	JHt III
Frequency	12	6	12	10	8
Mid-Interval	0.1	0.3	0.5	0.7	0.9
Frequency × Mid-Interval	1.2	1.8	6	7	7.2

b) 0 ≤ n < 0.2 and 0.4 ≤ n < 0.6
c) 0.4 ≤ n < 0.6
d) 0.483 (3 dp)

Cumulative Frequency P.40-P.41

Q1 accept:
a) 133-134   **c)** 136-137
b) 127-128   **d)** 8-10

Q2 **a)** 90 years
b) 120 years
c) 70 years

Q3 **a)**

No. passengers	0≤n<50	50≤n<100	100≤n<150	150≤n<200	200≤n<250	250≤n<300
Frequency	2	7	10	5	3	1
Cumulative Frequency	2	9	19	24	27	28
Mid-Interval	25	75	125	175	225	275
Frequency × Mid-Interval	50	525	1250	875	675	275

Estimated mean = 130 passengers
(to nearest whole number)
b)

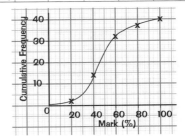

accept median of 118-125 passengers
c) 100 ≤ n < 150

Q4 **a)**

Mark (%)	0 ≤ m < 20	20 ≤ m < 40	40 ≤ m < 60	60 ≤ m < 80	80 ≤ m < 100
Frequency	2	12	18	5	3
Cumulative Frequency	2	14	32	37	40

b) 36%-38%
c) 19%-21%
d) 45%-47%

Q5

Score	31≤s<41	41≤s<51	51≤s<61	61≤s<71	71≤s<81	81≤s<91	91≤s<101
Frequency	4	12	21	32	19	8	4
Cumulative Frequency	4	16	37	69	88	96	100

a) 61 ≤ s < 71
b) 61 ≤ s < 71
c)

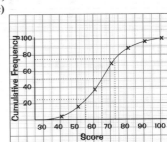

median = 65 (accept 64-66)
d) 73 − 55 = 18 (accept 17-19)

Q6 a)

Life (hours)	Frequency	Cumulative Frequency
900 ≤ L < 1000	10	10
1000 ≤ L < 1100	12	22
1100 ≤ L < 1200	15	37
1200 ≤ L < 1300	18	55
1300 ≤ L < 1400	22	77
1400 ≤ L < 1500	17	94
1500 ≤ L < 1600	14	108
1600 ≤ L < 1700	9	117

b) $1300 \leqslant L < 1400$

c)

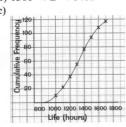

median = 1320 hours (±20)

d) lower quartile = 1150 (±20)
upper quartile = 1460 (±20)

Q7 a)

Time	2:00 ≤ t < 2:30	2:30 ≤ t < 3:00	3:00 ≤ t < 3:30	3:30 ≤ t < 4:00	4:00 ≤ t < 4:30
Tally	l	l+h+	l+h+ l+h+ llll	l+h+ ll	lll
Frequency	1	5	14	7	3
Cumulative Frequency	1	6	20	27	30

b)

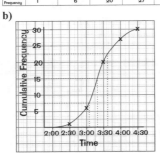

c) median = 3:19 (±3)
upper quartile = 3:37 (±3)
lower quartile = 3:05 (±3)

d) 0:32 (±5)

Histograms and Frequency Density P.42-P.44

Q1 4 × 10 = 40 people

Q2 a)

Depth (cm)	Frequency of worms	Frequency Density
0 ≤ depth < 5	62	12.4
5 ≤ depth < 10	45	9.0
10 ≤ depth < 15	33	6.6
15 ≤ depth < 25	36	3.6
25 ≤ depth < 35	22	2.2
35 ≤ depth < 50	21	1.4

b)

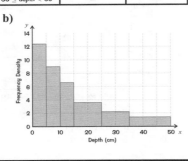

Q3 a)

Weight (kg)	0≤w<2	2≤w<4	4≤w<7	7≤w<9	9≤w<15
Frequency	3	2	6	9	12
Frequency density	1.5	1	2	4.5	2

b)

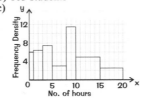

c) 23 hives

Q4 a)

No. of hours	Frequency	Frequency density
0 ≤ h < 1	6	6
1 ≤ h < 3	13	6.5
3 ≤ h < 5	15	7.5
5 ≤ h < 8	9	3
8 ≤ h < 10	23	11.5
10 ≤ h < 15	25	5
15 ≤ h < 20	12	2.4

b) 103 students

c)

d) 41 students

Q5 a)

Salary (£1000s)	0 ≤ s < 10	10 ≤ s < 20	20 ≤ s < 30	30 ≤ s < 40	40 ≤ s < 50
Frequency	10	25	42	20	3
Frequency Density	1	2.5	4.2	2	0.3

b) E.g. there are more people with higher salaries now than 10 years ago.

Q6 a)

Amount of Milk (Litres)	Frequency	Frequency Density	Mid-Interval	Frequency × Mid-Interval
0 < C < 1	6	6	0.5	3
1 < C < 5	6	1.5	3	18
5 < C < 8	6	2	6.5	39
8 < C < 10	6	3	9	54
10 < C < 15	6	1.2	12.5	75
15 < C < 20	6	1.2	17.5	105

b) 8.2 litres (to 1 d.p.)

c)

d) 18 days

Q7 a)

Amount (£)	Frequency	Frequency Density	Mid-Interval	Frequency × Mid-Interval
0 ≤ A < 0.50	11	22	0.25	2.75
0.50 ≤ A < 1.00	25	50	0.75	18.75
1.00 ≤ A < 1.30	9	30	1.15	10.35
1.30 ≤ A < 1.50	12	60	1.40	16.80
1.50 ≤ A < 1.80	24	80	1.65	39.60
1.80 ≤ A < 2.50	21	30	2.15	45.15
2.50 ≤ A < 3.10	54	90	2.80	151.20
3.10 ≤ A < 4.10	32	32	3.60	115.20

mean = £2.13 (to nearest penny)

b) $2.50 \leqslant A < 3.10$

c)

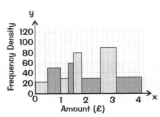

$(0.5 \times 22) + (0.5 \times 50)$
$+ (0.3 \times 30) + (0.1 \times 60)$
$= 51$ readers

d) No. 51 readers receive less than £1.40. So 188 − 51 = 137 receive £1.40 or more. But 75% of 188 = 141.

Stem and Leaf Diagrams P.45

Q1 3, 3, 3, 5, 8, 8, 9, 12, 13, 14, 14, 18, 18, 19, 20, 22, 22, 24, 31, 33.

Q2 a) 2   e) 21
b) 4   f) 21.24
c) 6   g) 21
d) 39

Q3

0	7 8
1	1 3 5 8
2	1 2 3 6 9
3	1 3 7 9
4	1 8
5	0

Q4

```
40 1 2
35 0 0 1 1 1 2 3 3 4
30 0 0 0 0 0 0 0 0 0 0 1 1 1 1 1 1 1 1 2 2 2 2 2 3 3 3 3 4 4 4 4
25 0 0 0 0 0 1 1 1 1 1 1 2 2 2 2 2 3 3 3 3 3 3 3 4 4 4 4 4 4 4 4 4 4
20 1 3 3 4 4 4 4
```

E.g. Key: 20|1 means 21

Pie Charts P.46

Q1 $\frac{360°}{100} = 3.6°$ per gram

Carbohydrate   3.6 × 35 = 126°
Protein   3.6 × 15 = 54°
Fat   3.6 × 10 = 36°
Magical Fairy Dust   3.6 × 40 = <u>144°</u>

Answers: P.47 — P.52

Q2 Sherrington 380,000 = 148° (approx)
2600 visitors = 1°
So, to the nearest 10,000:
Brompton = 2600 × 118° ≈ 310,000
Barny = 2600 × 44° ≈ 110,000
Livsea = 2600 × 50° ≈ 130,000

Q3 Part **c)**

Q4 It's not possible to tell whether more people voted for the Green Party in 2009, because you can't tell how many people voted in either election.

Other Charts and Graphs P.47

Q1 a)

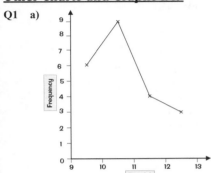

b) 22
c) 19

Q2

	Friday	Saturday	TOTAL
Cars	135	121	256
Buses	81	68	149
Lorries	35	15	50
TOTAL	251	204	455

Q3 Complaints have not "tailed off" - they have remained the same (approx 10 850) per month.
The number of complaints is not increasing but there are still 10 850 per month, every month.
The products cannot possibly be getting made to a higher quality if the complaints remain the same each month.

Spread of Data P.48

Q1 A — 16 year olds

B — bags of sugar

Q2 (A,I), (B,II)

Q3 <u>Right</u>: The second lot of lessons has a lower mean number of falls — 7.1. The second lot of lessons has a lower median number of falls — 7.

<u>Wrong</u>: The second lot of lessons has a higher modal number of falls — 12. The second lot of lessons has a larger range of number of falls — 10, i.e. he is less consistent.

Section Two
Written Multiplication and Division P.49

Q1
a) 46	e) 5016
b) 675	f) 10738
c) 2730	g) 18849
d) 1764	h) 44891

Q2
a) 278	f) 56
b) 129	g) 48
c) 117	h) 41.5
d) 125	i) 47.5
e) 35	

Q3
a) 24.8	d) 13.24
b) 43	e) 368.2
c) 14.25	f) 0.3276

Q4
a) 6.8	f) 2.7
b) 5.3	g) 6.5
c) 7.45	h) 9
d) 4.6	i) 49
e) 38	

Estimating and Checking P.50

Q1
a) 6500 × 2 = 13 000
b) 8000 × 1.5 = 12 000
c) 40 × 1.5 × 5 = 300
d) 45 ÷ 9 = 5
e) 35 000 ÷ 7000 = 5
f) $\frac{55 \times 20}{10} = 55 \times 2 = 110$
g) 7000 × 2 = 14 000
h) 100 × 2.5 × 2 = 500
i) 20 × 20 × 20 = 8000
j) 8000 ÷ 80 = 100
k) 62 000 ÷ 1000 = 62
l) 3 ÷ 3 = 1

Q2
a) Wrong — estimate:
(200 + 50) / (50 − 40)
= 250/10 = 25.
b) Looks OK — estimate:
(20 × 10) ÷ √100 = 20
c) Looks OK — estimate:
(300 × 1) / (10 × 3)
= 300 / 30 = 10.
d) Wrong — estimate:
(50 × 5) / 20² = 250 / 400 ≈ 1/2

Q3
a) Answer must be bigger than 13
b) Answer should be of the order 10 000, not 1000 (50 × 200 = 10 000).
c) Answer must be smaller than 0.8
d) A +ve number cubed must be +ve.
e) +ve times -ve gives a -ve answer.
f) Answer must be smaller than 12.
g) Cube roots only have one answer.
h) Answer must be smaller than 0.5.

Q4
a) 6.9 (accept 6.8)
b) 10.9 (accept 10.8)
c) 9.2 (accept 9.1)
d) 4.1 (accept 4.2)
e) 9.9 (accept 9.8)
f) 5.8 (accept 5.9)

Q5
a) 6.4 (accept 6.3 or 6.5)
b) 14.1 (accept 14.0 or 14.2)
c) 5.5 (accept 5.4 or 5.6)
d) 12.2 (accept 12.1 or 12.3)
e) 13.4 (accept 13.3 or 13.5)
f) 11.8 (accept 11.7 or 11.9)

Fractions, Decimals and Percentages P.51-P.52

Q1
a) 25%	e) 41.52%
b) 50%	f) 84.06%
c) 75%	g) 39.62%
d) 10%	h) 28.28%

Q2
a) 0.5	e) 0.602
b) 0.12	f) 0.549
c) 0.4	g) 0.431
d) 0.34	h) 0.788

Q3
a) 50%	e) 4%
b) 25%	f) 66.7%
c) 12.5%	g) 26.7%
d) 75%	h) 28.6%

Q4
a) 1/4	e) 41/500
b) 3/5	f) 62/125
c) 9/20	g) 443/500
d) 3/10	h) 81/250

Q5 85%

Q6 Grade C

Q7
a) 0.3	e) 1.75
b) 0.37	f) 0.125
c) 0.4	g) 0.6
d) 0.375	h) 0.05

Q8

Fraction	Decimal
1/2	0.5
1/5	0.2
1/8	0.125
8/5	1.6
4/16	0.25
7/2	3.5
x/10	0.x
x/100	0.0x
3/20	0.15
9/20	0.45

Q9
a) $0.\dot{7}$	d) $0.\overline{90}$
b) $0.\overline{63}$	e) $0.\overline{478}$
c) $0.\overline{47}$	f) $0.\overline{5891}$

Q10
a) $\frac{3}{5}$	e) $\frac{1}{3}$
b) $\frac{3}{4}$	f) $\frac{2}{3}$
c) $\frac{19}{20}$	g) $\frac{1}{9}$
d) $\frac{16}{125}$	

Q11
a) $\frac{2}{9}$	e) $\frac{4}{33}$
b) $\frac{4}{9}$	f) $\frac{545}{999}$
c) $\frac{8}{9}$	g) $\frac{251}{333}$
d) $\frac{80}{99}$	h) $\frac{52}{333}$

Answers: P.53 — P.60

Fractions P.53-P.55

Q1 a) $\frac{1}{64}$ d) $3\frac{29}{32}$
  b) $\frac{1}{9}$ e) $5\frac{5}{32}$
  c) $\frac{1}{18}$ f) $\frac{81}{100\,000}$

Q2 a) 1 d) $\frac{2}{5}$
  b) 4 e) $\frac{10}{33}$
  c) $\frac{1}{2}$ f) 1000

Q3 a) $\frac{1}{4}$ d) $4\frac{3}{8}$
  b) $\frac{5}{6}$ e) $5\frac{3}{8}$
  c) $\frac{1}{2}$ f) 1

Q4 $3\frac{7}{15}$, so the bowl will be big enough.

Q5 a) 0 d) $1\frac{7}{8}$
  b) $\frac{1}{2}$ e) $-2\frac{7}{8}$
  c) $-\frac{1}{6}$ f) $\frac{4}{5}$

Q6 a) $\frac{3}{4}$ g) $\frac{5}{8}$
  b) $\frac{5}{12}$ h) $-\frac{1}{24}$
  c) $\frac{7}{15}$ i) $4\frac{3}{5}$
  d) $4\frac{3}{4}$ j) $1\frac{1}{30}$
  e) 4 k) 1
  f) $1\frac{1}{5}$ l) $\frac{44}{75}$

Q7 a) 1/12 c) 2/3
  b) 1/4

Q8 a) 3/4 of the programme
  b) 5/8 of the programme
  c) 1/8 of the programme

Q9 3/5 of the kitchen staff are girls.
  2/5 of the employees are boys.

Q10 7/30 of those asked had no opinion.

Q11 a) 12/30 = 2/5
  b) 6 days

Q12 a) Each box will hold 16 sandwiches.
  So 5 boxes will be needed for 80 sandwiches.
  b) 25 inches tall

Q13 a) $\frac{1}{18}$ b) $\frac{1}{4}$

Q14 a) 48 km^2 b) $\frac{5}{8}$

Q15 a) 8 people
  b) $\frac{7}{20}$
  c) $\frac{1}{4}$
  d) 57 people
  e) 65 people

Q16 After the 1st bounce the ball reaches 4 m, after the 2nd $2\frac{2}{3}$ m, after the 3rd $1\frac{7}{9}$ m.

Q17 a) 100 g flour
  b) 350 g
  c) $\frac{2}{7}$
  d) 300 g

Q18 £30.70

Square Roots and Cube Roots P.56

Q1 a) $x = 2$ or -2 g) $x = 5$ or -5
  b) $x = 4$ or -4 h) $x = 10$ or -10
  c) $x = 3$ or -3 i) $x = 12$ or -12
  d) $x = 1$ or -1 j) $x = 8$ or -8
  e) $x = 6$ or -6 k) $x = 9$ or -9
  f) $x = 7$ or -7 l) $x = 11$ or -11

Q2 a) $x = 4$ e) $x = 3$
  b) $x = 8$ f) $x = 10$
  c) $x = 5$ g) $x = 6$
  d) $x = 2$ h) $x = 7$

Q3 9 m

Q4 5 cm

Q5 240 m

Powers P.57-P.58

Q1 a) 16
  b) 1000
  c) $3\times3\times3\times3\times3 = 243$
  d) $4\times4\times4\times4\times4\times4 = 4096$
  e) $1\times1\times1\times1\times1\times1\times1\times1=1$
  f) $5\times5\times5\times5\times5\times5 = 15625$

Q2 a) 2^8 or 256 c) m^3
  b) 12^5 or 248 832 d) y^4

Q3 b) $(10 \times 10 \times 10) \times (10 \times 10 \times 10 \times 10) = 10^7$
  c) $(10 \times 10 \times 10 \times 10) \times (10 \times 10) = 10^6$
  d) Add the powers.

Q4 b) 2^3
  c) $(4 \times 4 \times 4 \times 4 \times 4)/(4 \times 4 \times 4) = 4^2$
  d) $(8 \times 8 \times 8 \times 8 \times 8)/(8 \times 8) = 8^3$
  e) Subtract the powers.

Q5 a) 10^2 d) x^5
  b) 8^4 e) a^9
  c) 6^5 f) p^{15}

Q6 a) False, correct answer is 1/8
  b) False, correct answer is 1
  c) True
  d) True
  e) False, $3^2 = 9$
  f) True

Q7 a) 6^4 e) 4^{-1}
  b) 6^6 f) 3^{-1}
  c) $2^1 = 2$ g) 5^3
  d) 3^2 h) 2^{15}

Q8 a) 1 g) 0.5
  b) 35 h) 0.2
  c) $\frac{1}{2} = 0.5$ i) 5
  d) $\frac{1}{1000} = 0.001$ j) 27
  e) 100 k) 8
  f) 16

Q9 a) $\frac{4}{9}$ d) $\frac{5}{2} = 2\frac{1}{2}$
  b) $\frac{27}{125}$ e) $\frac{1}{25}$
  c) $\frac{9}{4} = 2\frac{1}{4}$

Manipulating Surds P.59-P.60

Q1 e.g. 3, $3\frac{1}{2}$, 4 are all rational and $\sqrt{6}$ $\sqrt{7}$, $\sqrt{8}$, are all irrational.

Q2 a) e.g. $x = 2$
  b) e.g. $x = 4$

Q3 a) irrational
  b) rational
  c) irrational
  d) rational

Q4 a) $\sqrt{2} \times \sqrt{8}$, $(\sqrt{5})^6$, 0.4, $40 - 2^{-1} - 4^{-2}$, $49^{-\frac{1}{2}}$
  b) $\frac{\sqrt{3}}{\sqrt{2}}$, $(\sqrt{7})^3$, $\sqrt{15}$, $\sqrt{5} - 2.1$, $\sqrt{6} + 6$

Q5 a) rational
  b) irrational
  c) rational

Q6 e.g. $x = \sqrt{18}$, $y = \sqrt{2}$ gives $\frac{x}{y} = \sqrt{9} = 3$.

Q7 a) e.g. 1.5
  b) e.g. $\sqrt{2}$
  c) As P is rational, let $P = \frac{a}{b}$ where a and b are integers. $\frac{1}{P} = \frac{b}{a}$ which is rational.

Q8 a) $xyz = 4\sqrt{6}$, irrational
  b) $(xyz)^2 = 96$, rational
  c) $x + yz = 2 + 2\sqrt{6}$, irrational
  d) $\frac{yz}{2\sqrt{3x}} = \frac{2\sqrt{6}}{2\sqrt{6}} = 1$, rational

Q9 a) $\sqrt{15}$ e) x
  b) 2 f) x
  c) 1 g) 8
  d) 2½ h) $3[\sqrt{2} - 1]$

Q10 a) $(1+\sqrt{5})(1-\sqrt{5}) = -4$, rational
  b) $\frac{1+\sqrt{5}}{1-\sqrt{5}} = -\frac{1}{2}(3 + \sqrt{5})$, irrational

Q11 a) $(x+y)(x-y) = -1$, rational
  b) $\frac{x+y}{x-y} = -3 - 2\sqrt{2}$, irrational

Q12 a) $\frac{\sqrt{2}}{2}$ e) $\sqrt{2} - 1$
  b) $\frac{\sqrt{2}}{2}$ f) $3 - \sqrt{3}$
  c) $\frac{\sqrt{10}a}{10}$ g) $\frac{2[\sqrt{6} - 1]}{5}$
  d) $\frac{\sqrt{xy}}{y}$ h) $\frac{3 + \sqrt{5}}{2}$

Answers: P.61 — P.66

Straight Line Graphs P.61-P.62

Q1
a) B   f) F
b) A   g) C
c) F   h) B
d) G   i) D
e) E   j) H

Q2

x	-4	-3	-2	-1	0	1	2	3	4
3x	-12	-9	-6	-3	0	3	6	9	12
-1	-1	-1	-1	-1	-1	-1	-1	-1	-1
y	-13	-10	-7	-4	-1	2	5	8	11

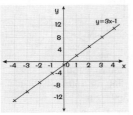

Q3

x	-6	-4	-2	0	2	4	6
½ x	-3	-2	-1	0	1	2	3
-3	-3	-3	-3	-3	-3	-3	-3
y	-6	-5	-4	-3	-2	-1	0

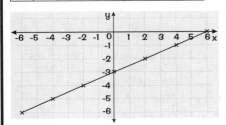

Q4

X	0	3	8
y	3	9	19

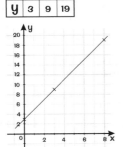

a) 13   c) 4
b) 7   d) 7

Q5

X	-8	-4	8
y	-5	-4	-1

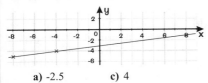

a) -2.5   c) 4
b) -3   d) 6

Q6

Number of Units used	0	100	200	300
Cost using method A	10	35	60	85
Cost using method B	40	45	50	55

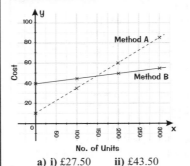

a) i) £27.50   ii) £43.50
b) Method A
c) 150 units

Finding the Gradient P.63

Q1
a) $m = 4$, $(0, 3)$ l) $m = -\frac{5}{2}$, $(0, -2)$
b) $m = 3$, $(0, -2)$ m) $m = \frac{1}{2}$, $(0, -\frac{3}{2})$
c) $m = 2$, $(0, 1)$ n) $m = \frac{7}{3}$, $(0, \frac{5}{3})$
d) $m = -3$, $(0, 3)$ o) $m = -1$, $(0, 0)$
e) $m = 5$, $(0, 0)$ p) $m = 1$, $(0, 0)$
f) $m = -2$, $(0, 3)$ q) $m = 1$, $(0, 3)$
g) $m = -6$, $(0, -4)$ r) $m = 1$, $(0, -3)$
h) $m = 1$, $(0, 0)$ s) $m = 3$, $(0, 7)$
i) $m = -\frac{1}{2}$, $(0, 3)$ t) $m = 5$, $(0, 3)$
j) $m = \frac{1}{4}$, $(0, 2)$ u) $m = -2$, $(0, -3)$
k) $m = \frac{4}{3}$, $(0, 2)$ v) $m = 2$, $(0, 4)$

Q2
a) $-\frac{1}{2}$ h) 1
b) 3   i) -1
c) $-\frac{1}{4}$ j) $\frac{1}{3}$
d) -2   k) $-\frac{1}{2}$
e) $-\frac{2}{3}$ l) 3
f) $-\frac{8}{3}$ m) 4
g) 4

Q3
a) 2   d) -2
b) $\frac{1}{2}$ e) $\frac{1}{2}$
c) -1   f) $-\frac{3}{4}$

Q4 The gradient is -0.23 so it's a red run.

"y = mx + c" P.64

Q1
a) $y = \frac{7}{2}x - 1$ d) $y = \frac{1}{4}x - 3$
b) $y = \frac{1}{2}x + 4$ e) $y = -\frac{1}{2}x$
c) $y = -\frac{1}{5}x + 7$ f) $y = -2x - 6$

Q2
a) $y = x + 4$ d) $y = -x$
b) $y = 3x + 2$ e) $y = -3x + 4$
c) $y = 2x + 9$ f) $y = -2x - 3$

Q3
a) $y = x$ d) $y = -3x + 3$
b) $y = 3x$ e) $y = -2x - 4$
c) $y = 2x + 1$ f) $y = 5x + 3$

Q4
a) $x = 4$ c) $y = 7$
b) $x = 8$ d) $y = 9$

Q5 (7, 20) and (5, 14)

Simultaneous Equations P.65

Q1
a) $x = 3$, $y = 3$
b) $x = 2$, $y = 5$
c) $x = 1$, $y = 2$
d) $x = 1$, $y = 2$
e) $x = 1$, $y = 4$
f) $x = 1$, $y = 2$
g) $x = 2$, $y = 3$
h) $x = 2$, $y = 3$
i) $x = 5$, $y = 2$
j) $x = 3$, $y = 4$

Q2
a) $x = 1$, $y = 2$
b) $x = 0$, $y = 3$
c) $x = -1\frac{1}{2}$, $y = 4$
d) $x = 1$, $y = 9$
e) $x = 8$, $y = -\frac{1}{2}$
f) $x = -1$, $y = 3$

Q3
a) $6x + 5y = 430$
   $4x + 10y = 500$
b) $x = 45$, $y = 32$

Q4 7 chickens
4 cats

Q5 5 g (jellies are 4 g)

Inequalities P.66-P.67

Q1
a) $9 \leq x < 13$
b) $-4 \leq x < 1$
c) $x \geq -4$
d) $x < 5$
e) $x > 25$
f) $-1 < x \leq 3$
g) $0 < x \leq 5$
h) $x < -2$

Q2
a)
b)
c)
d)
e)
f)
g)
h)

Answers: P.67 — P.72

Q3
a) $x > 3$
b) $x < 4$
c) $x \leq 5$
d) $x \leq 6$
e) $x \geq 7.5$
f) $x < 4$
g) $x < 7$
h) $x < 4$
i) $x \geq 3$
j) $x > 11$
k) $x < 3$
l) $x \geq -\frac{1}{2}$
m) $x \leq -2$
n) $x > 5$
o) $x < 15$
p) $x \geq -2$

Q4 Largest integer for x is 2.

Q5 $\frac{11 - x}{2} < 5$, $x > 1$

Q6 $1130 \leq 32x$
36 classrooms are needed.

Q7 50 guests (including bride and groom),
$900 \geq 18x$

Q8 $x \geq 2$, $y > 1$, $x + y \leq 5$

Q9
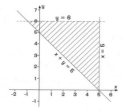

Q10
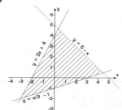

Q11 a) $x > 5$, $y \geq 7$, $x + y \geq 14$
b)
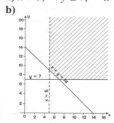

Geometry P.68-P.69

Q1
a) $x = 47°$
b) $y = 154°$
c) $z = 22°$
d) $p = 35°$, $q = 45°$

Q2
a) $a = 146°$
b) $m = 131°$, $z = 48°$
c) $x = 68°$, $p = 112°$
d) $s = 20°$, $t = 90°$

Q3
a) $x = 96°$, $p = 38°$
b) $a = 108°$, $b = 23°$, $c = 95°$
c) $d = 120°$, $e = 60°$, $f = 60°$, $g = 120°$
d) $h = 155°$, $i = 77.5°$, $j = 102.5°$,
   $k = 77.5°$

Q4
a) $b = 70°$ $c = 30°$
   $d = 50°$ $e = 60°$
   $f = 150°$
b) $g = 21°$ $h = 71°$
   $i = 80°$ $j = 38°$
   $k = 92°$
c) $l = 35°$ $m = 145°$
   $n = 55°$ $p = 125°$

Q5
a) $x = 162°$ $y = 18°$
b) $x = 87°$ $y = 93°$
   $z = 93°$
c) $a = 30°$ $2a = 60°$
   $5a = 150°$ $4a = 120°$

Q6
a) $a = 141°$, $b = 141°$, $c = 39°$,
   $d = 141°$, $e = 39°$
b) $a = 47°$, $b = 47°$, $c = 133°$, $d = 43°$
   $e = 43°$
c) $m = 140°$, $n = 140°$, $p = 134°$,
   $q = 46°$, $r = 40°$

Polygons P.70-P.71

Q1 Isosceles.

Q2

interior angle = 60°

Q3

order of rotational symmetry = 6.

Q4
a) Angles at a point sum to 360°,
   hence $m + m + r = 360°$.
   Angles in a pentagon sum to 540°.
   We know two angles are 90°, so we
   are left with 360°. The only angles
   left are m, m and r so $m + m + r$
   must equal 360°.
b) r°.
c)
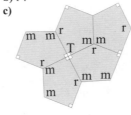

Q5 a) $90° + 60° = 150°$
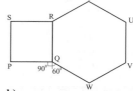
b)
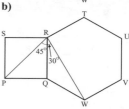
$\angle PRW = 75°$
c) $180 - (360/n) = 150$
   $180n - 360 = 150n$
   $30n = 360 \Rightarrow n = 12$

Q6 $540° - (100° + 104° + 120°)$
$= 216°$ for two equal angles
$\therefore 1$ angle = 108°

Q7
a) Interior angle = 165°
b) Exterior angle = $180° - 165° = 15°$
   Sum of exterior angles = $15 \times 24 = 360°$

Q8
a) $\frac{360}{5} = 72°$
b) $\frac{180 - 72}{2} = 54°$
c) Interior angle = $180 - (360/5) = 108°$
   $\angle BED = (360 - 2 \times 108)/2 = 72°$
   $\angle BEA = 108 - 72 = 36°$

Q9 $(n - 2)180 = 2520$, $n = 16$

Q10 a) $(\frac{360}{5}) \div 2 = 36°$ b) $180 - 36 - 90 = 54°$

Q11 a)

b) Angle CDE = angle DEF
$= \frac{(8 - 2)180}{8} = 135$
so angle EFC $= \frac{360 - 2(135)}{2} = 45$
or exterior angle = $45° = $ angle EFC,
alternate angles.

Circle Geometry P.72-P.73

Q1
a) BAD = 80° (opposite angle C in cyclic
   quadrilateral)
b) EAB = $180 - 80 - 30 = 70°$

Q2
a) BD = 5 cm (as the tangents BD and CD
   are equal).
b) Angle COD = 70° (= $180° - (20° +$
   $90°)$), since the tangent CD meets the
   radius OC at an angle of 90°.
c) Angle COB = 140° (since angle BOD
   equals angle COD).
d) Angle CAB = 70° (since the angle at the
   centre (COB) is twice the angle at the
   edge (CAB)).

Q3
a) BOE = 106° (angle at centre)
b) ACE = 32° (angle in opposite segment)

Answers: P.73 — P.78

Q4 **a)** ACD = 70° (angle in opposite segment)
b) BAD = 180 – (30 + 70) = 80° (opposite angles of a cyclic quadrilateral total 180°)

Q5 **a)** Angles in the same segment.
b) $3x + 40 = 6x - 50$
$90 = 3x$
$30 = x$
angle ABD = 3(30) + 40 = 130°

Q6 **a)** Angle ABD = 70° (angle at centre = 2 × angle at circumference)
b) Angle ABC = 90° (angle in semicircle)
c) Angle DBC = 20° (90° – 70°)

Q7 **a)** 90° (angle in a semicircle)
b) The angle at A = 90° (tangent and radius are perpendicular).
The third angle in the triangle is 180 – 90 – 23 = 67° and so
$x = 90 - 67 = 23°$.
Or, by opposite segment theorem:
x = angle ABC = 23°.

Q8 **a)** With AD as a chord, angle ABD = ACD = 30° (same segment); angle AXB = 85° (vertically opposite angles).
The third angles must be the same in both triangles so the triangles must be similar.
b) Ratio of lengths $= \frac{4}{8} = \frac{1}{2}$
so XB = 5 cm
c) angle BDC = 180 – 85 – 30 = 65°

Q9 **a)** 90° (angle in a semicircle)
b) Pythagoras is needed here but in the form
$AC^2 + 3^2 = 10^2$
$AC^2 = 100 - 9 = 91$
$AC = \sqrt{91}$ cm

Symmetry P.74-P.76

Q1
a) **b)** **c)**

d) **e)**  **f)**

Q2 **a)** 6   **c)** 5
b) 8   **d)** 3

Q3 **a)**
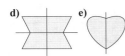
Order of Rotation = 3

b)

Order of Rotation = 1

c)
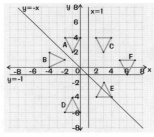
Order of Rotation = 2

d)
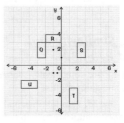
Order of Rotation = 1

e)

Order of Rotation = 8

f)

Order of Rotation = 2

Q4 E.g.
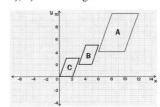

Q5 No

Q6 Four. Three like this:
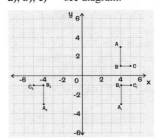
and one through its middle:

Q7 Infinitely many.
Q8 No
Q9 One of the following:

Q10 6
Q11 **d)** A tetrahedron
Q12 Two. One along the middle of its length and the other perpendicular to that.
Q13 A point
Q14 **a)** Two, one longitudinal and one perpendicular to that.
b) 90°
c) They meet in a line.
Q15 **a)** 4
b) Yes it is true.

The Four Transformations P.77-P.78

Q1 **a)** to **e)** — see diagram.

f) Rotation of 180°, centre (3, 0)

Q2 **a), b), d), e)** — see diagram

c) Rotation 180° about (0, 2).
f) 90° rotation anticlockwise about $\left(-\frac{1}{2}, -\frac{1}{2}\right)$.

Q3 **a), b)** — see diagram.

c) Ratio of areas C:A = 1:4

Q4 **a), b), c)** — see diagram.

d) Rotation of 180° about (0, 0)

Q5 a)

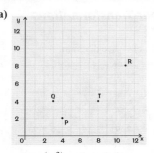

b) $\overrightarrow{QO} = \begin{pmatrix} -3 \\ -4 \end{pmatrix}$

$T = \begin{pmatrix} 11 \\ 8 \end{pmatrix} + \begin{pmatrix} -3 \\ -4 \end{pmatrix} = \begin{pmatrix} 8 \\ 4 \end{pmatrix}$

see diagram

c) $\begin{pmatrix} -1 \\ 2 \end{pmatrix} + \begin{pmatrix} 8 \\ 4 \end{pmatrix} + \begin{pmatrix} -3 \\ -4 \end{pmatrix} + \begin{pmatrix} -4 \\ -2 \end{pmatrix} = \begin{pmatrix} 0 \\ 0 \end{pmatrix}$

Congruence, Similarity and Enlargement P.79-P.80

Q1 ABC and DEF are congruent — same size angles and side lengths.

Q2 a) Angle A shared. Parallel lines make corresponding angles equal so the triangles are similar.

b) Ratio of lengths given by
$\frac{AB}{AD} = \frac{12}{20} = \frac{3}{5}$

So $x = 25 \times \frac{3}{5} = 15$ cm

Also $\frac{y + 10}{y} = \frac{5}{3}$

$\Rightarrow 2y = 30,\ y = 15$ cm

Q3

Hence 7 ways to draw <u>another</u>.

Q4 Widths in ratio 2:3, so volumes in ratio 8:27.
Volume $= 30 \times \frac{27}{8} = 101$ litres

Q5 a) All lengths must be enlarged in the same ratio for them to be similar.

b) 4 litres

Q6 a) 2 end faces $2 \times (2 \times 3) = 12$ cm²
2 side faces $2 \times (5 \times 3)$
       $= 30$ cm²
Top & bottom $2 \times (5 \times 2)$
       $= 20$ cm²
Total $= 62$ cm²

b) SF for length = 1:4
SF for area = 1:16
new area $= 62 \times 16$
       $= 992$ cm²

Q7 a) & b)

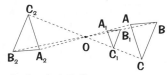

c) triangle $A_2B_2C_2$

Q8 a) 50 cm
b) ratio $= 1:2^3 = 1:8$

Vectors P.81

Q1 a)

b) i) $\begin{pmatrix} -1 \\ -4 \end{pmatrix}$

ii) $\begin{pmatrix} 4 \\ 0 \end{pmatrix}$

iii) $\begin{pmatrix} 5 \\ 4 \end{pmatrix}$

c) Isosceles

Q2 a)

$\begin{pmatrix} 2 \\ 1 \end{pmatrix}$

b)

$\begin{pmatrix} 2 \\ 5 \end{pmatrix}$

c)

$\begin{pmatrix} 6 \\ -2 \end{pmatrix}$

d)

$\begin{pmatrix} 1 \\ 1 \end{pmatrix}$

e)

$\begin{pmatrix} 6 \\ 10 \end{pmatrix}$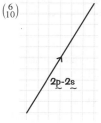

f)

$\begin{pmatrix} -1 \\ -8 \end{pmatrix}$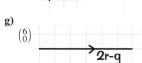

g)

$\begin{pmatrix} 6 \\ 0 \end{pmatrix}$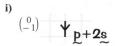

h)

$\begin{pmatrix} 6 \\ -3 \end{pmatrix}$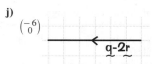

i)

$\begin{pmatrix} 0 \\ -1 \end{pmatrix}$

j)

$\begin{pmatrix} -6 \\ 0 \end{pmatrix}$

Q3 a) $2\underset{\sim}{y}$ **d)** $2\underset{\sim}{y} + 2\underset{\sim}{x}$

b) $\underset{\sim}{y} + \underset{\sim}{x}$ **e)** $4\underset{\sim}{y} + 2\underset{\sim}{x}$

c) $-\underset{\sim}{y} - \underset{\sim}{x}$ **f)** $2\underset{\sim}{x}$

Q4 9.5 km/h
Q5 $\sqrt{3.5^2 - 2^2} = \sqrt{8.25}$ km/h

Scatter Graphs P.82-P.83

Q1 (A,S), (B,R), (C,P), (D,U)

Q2 a)

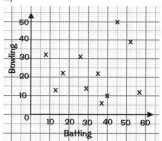

b) There is no correlation.
c) No — if he were correct the graph would show negative correlation.

Answers: *P.83 — P.87*

Q3 **a)**

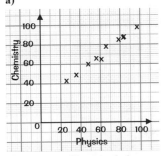

b) Strong positive correlation.

c) Yes

Q4 **a)**

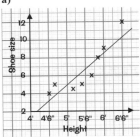

b) Positively correlated.

c) Taller people tend to have a larger shoe size.

d) 9

Q5 **a), b)**

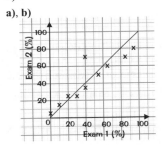

c) 50%

Q6 **a), b)**

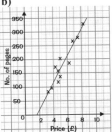

c) £7.50 (±20p)

Q7 **a)**

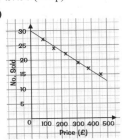

b) **i)** 20 (to nearest whole number)
ii) £140 (± £10)

c) The data is negatively correlated.

Time Series P.84

Q1 **a)** and **d)** are time series (since they're measuring the same thing at different times).

b) and **c)** are not time series (because they're measuring different things at the same time).

Q2 **a)** **A** and **D** are seasonal. **B** and **C** are not seasonal.

b) The period of **A** is 12 months. The period of **D** is 24 hours.

c) There is a downward trend in **B** of about 9 accidents per year. There was an upward trend in **C** for about 25 to 30 days, after which the rise in the share price stops, and quite a sharp downward trend begins.

Q3 **a)**

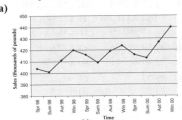

b)

Time	Sales	
Spring 1998	404	
Summer 1998	401	409
Autumn 1998	411	412
Winter 1998	420	414
Spring 1999	416	416
Summer 1999	409	417
Autumn 1999	419	417
Winter 1999	424	418
Spring 2000	416	420
Summer 2000	413	424
Autumn 2000	427	
Winter 2000	440	

c)

d) A slight upward trend in the sales.

Section Three

Standard Index Form
P.85-P.86

Q1 **a)** 35.6   **g)** 0.82
    b) 3560   **h)** 0.0082
    c) 0.356   **i)** 1570
    d) 35600   **j)** 0.157
    e) 8.2   **k)** 157000
    f) 0.00082   **l)** 15.7

Q2 **a)** 2.56×10^0 **g)** 9.52×10^4
    b) 2.56×10 **h)** 9.52×10^{-4}
    c) 2.56×10^{-1} **i)** 4.2×10^3
    d) 2.56×10^4 **j)** 4.2×10^{-3}
    e) 9.52×10 **k)** 4.2×10
    f) 9.52×10^{-2} **l)** 4.2×10^2

Q3 **a)** 3.47×10^2 **g)** 7.5×10^{-5}
    b) 7.3004×10 **h)** 5×10^{-4}
    c) 5×10^0 **i)** 5.34×10^0
    d) 9.183×10^5 **j)** 6.2103×10^2
    e) 1.5×10^7 **k)** 1.49×10^4
    f) 9.371×10^6 **l)** 3×10^{-7}

Q4 6×10^{-3}

Q5 1×10^9, 1×10^{12}

Q6 9.46×10^{12}

Q7 6.9138×10^4

Q8 1.2×10^{-2} (mm)

Q9 **a)** Mercury
    b) Jupiter
    c) Mercury
    d) Neptune
    e) Venus and Mercury
    f) Jupiter, Neptune and Saturn

Q10 **a)** 2.4×10^{10}
    b) 1.6×10^6
    c) 1.8×10^5

Q11 1.04×10^{13} is greater by 5.78×10^{12}

Q12 1.3×10^{-9} is smaller by 3.07×10^{-8}

Q13 **a)** 4.2×10^7 **f)** 4.232×10^{-3}
    b) 3.8×10^{-4} **g)** 1.7×10^{18}
    c) 1.0×10^7 **h)** 2.83×10^{-4}
    d) 1.12×10^{-4} **i)** 1×10^{-2}
    e) 8.43×10^5

Q14 7×10^6

Q15 6.38×10^8 cm

Q16 3.322×10^{-27} kg

Q17 **a)** 1.8922×10^{16} m
    b) 4.7305×10^{15} m

Q18 **a)** 510 000 000 km^2
    b) 3.62×10^8 km^2
    c) 148 000 000 km^2

Calculation Bounds P.87

Q1 **a)** 64.785 kg   **b)** 64.775 kg

Q2 **a)** 1.75 m
    b) $1.85 \times 0.75 = 1.3875$ m^2

Q3 **a)** 95 g
    b) Upper bound = 97.5 g, lower bound = 92.5 g.
    c) No, since the lower bound for the electronic scales is 97.5 g, which is greater than the upper bound for the scales in part a).

Q4 **a)** Upper bound = 945, lower bound = 935.
    b) Upper bound = 5.565, lower bound = 5.555.
    c) To find the upper bound for R, divide the upper bound for S by the lower bound for T;
    $945 \div 5.555 = 170.117...$
    To find the lower bound for R, divide the lower bound for S by the upper bound for T;
    $935 \div 5.565 = 168.014...$
    d) $940 \div 5.56 = 170$ (to 2 s.f. — the upper and lower bounds both round to 170 to 2 s.f., but give different answers to 3 s.f.).

Answers: P.88 — P.96

Q5 a) Upper bound = 13.5, lower bound = 12.5
b) Upper bound = 12.55, lower bound = 12.45
c) To calculate the upper bound for C multiply the upper bound for A by the upper bound for B;
$13.5 \times 12.55 = 169.425$
To calculate the lower bound for C multiply the lower bound for A by the lower bound for B;
$12.5 \times 12.45 = 155.625$

Q6 At least 18.2 m²

Q7 The upper bound for the distance is 127.5 km. The lower bound for the time is 1 hour and 45 minutes = 1.75 hours. The maximum value of the average speed is $127.5 \div 1.75 = 72.857...$ km/hour.

Percentage Problems P.88-P.90

Q1 a) 0.2   c) 0.02
b) 0.35   d) 0.625

Q2 a) $\frac{1}{5}$ c) $\frac{7}{10}$
b) $\frac{3}{100}$ d) $\frac{421}{500}$

Q3 a) 12.5%   c) 30%
b) 23%   d) 34%

Q4 85%

Q5 72.5%

Q6 £351.33

Q7 £244.40

Q8 23 028

Q9 a) £4275   b) £6840

Q10 Car 1 costs £8495 − (0.15 × £8495)
= £8495 − £1274.25 = £7220.75.
Car 2 costs £8195 − (0.12 × £8195)
= £8195 − £983.40 = £7211.60.
So car 2 is the cheapest.

Q11 a) £5980   b) £5501.60

Q12 £152.75, So NO, he couldn't afford it.

Q13 31%

Q14 13%

Q15 1.6%

Q16 500%

Q17 a) 67.7%
b) 93.5%
c) 38.1%

Q18 a) £236.25
b) £1000 × 1.07³ − £1000 = £225.04
c) £1000 × 1.07875³ − £1000 = £255.34

Q19 38%

Q20 £80

Q21 a) 300
b) 4 whole years

Compound Growth and Decay P.91-P.92

Q1 a) £473.47   c) £909.12
b) £612.52   d) £1081.90

Q2 a) 281   c) 27 hours
b) 3036

Q3 a) 8.214 kg   c) 7.272 kg
b) 7.497 kg   d) 3.836 kg

Q4 a) £1920.80   c) £434.06
b) £27 671.04   d) £34 974.86

Q5 Second option by £2.20

Q6 £462.08

Q7 £3162.91

Q8 a) 910.91   c) 114.39
b) 754.32   d) about 30 hours

Q9 a) £7877.94   d) £10 646.54
b) £27,116.06   e) £7184.25
c) £9980.90   f) £5843.70

Q10 a) £128 606   c) £77 974
b) £103 788   d) £475 000

Q11 a) 51   c) 50
b) 52   d) 61

Q12 a) 16.85 million
b) 20.72 million

Direct and Inverse Proportion P.93-P.94

Q1 £247.80

Q2 112 hours

Q3 £96.10

Q4 a) $9\frac{1}{3}$ cm
b) 30.45 km

Q5 $y = 20$

Q6 $y = 1.8$

Q7 $y = 184.8$

Q8 $x = 75$

Q9

x	2	4	6
y	5	10	15

x	3	6	9
y	4.5	9	13.5

x	27	54	81
y	5	10	15

Q10 $y = 2$

Q11 $x = 2$

Q12 a) $x = 4$ b) $y = 6$

Q13 1.8 hrs or 1 h 48 min

Q14

x	1	2	3	4	5	6
y	48	24	16	12	9.6	8

Q15 a) 78.5 cm²   b) 3.0 cm

Q16 $y = 36$

Q17 a) $k = 1.6$ c) $x = 11.5$
b) $y = 819.2$

Q18

x	1	2	5	10
y	100	25	4	1

x	2	4	6	8
y	24	6	2⅔	1.5

Q19 4 kg

Q20 a) $r = 96$ c) $r = 600$
b) $s = 4$ d) $s = -8$

Q21 9.5 N kg⁻¹

Q22 $y \propto \frac{1}{x}$
a) $y = \frac{200}{x}$
b) $y = 31.25$
c) $x = 12.5$

Speed, Distance and Time P.95-P.96

Q1 60 km/h

Q2 165 miles

Q3 2 hours 40 minutes

Q4

Distance Travelled	Time taken	Average Speed
210 km	3 hrs	70 km/h
135 miles	4 hrs 30 mins	30 mph
105 km	2 hrs 30 mins	42 km/h
9 miles	45 mins	12 mph
640 km	48 mins	800 km/h
70 miles	1 hr 10 mins	60 mph

Q5 a) 100/11 = 9.09 m/s (to 2 d.p)
b) 32.73 km/h

Q6 7 minutes to go 63 miles so 540 mph.

Q7 $\frac{260}{71}$ hours = 3.66 hrs ≈ 3 hrs 40 min
07.05 to 10.30 is 3 hrs 25 mins.
Journey takes over 3 hrs 25 mins so No.

Q8 a) 98.9 mph (to 3 s.f.)
b) 72.56 seconds
c) 99.2 mph (to 3 s.f.)

Q9 a) 2.77 + 1.96 + 0.6 = 5.33 hrs
(to 3 s.f.) = 5 hours 20 mins
b) 250 miles
c) 46.9 mph (to 3 s.f.)

Q10 2.15pm

Q11 a) 2.23 hrs (2 hrs 14 mins)
b) 1 hr 49 mins + 10 mins
= 1 hr 59 mins
c) 1346 and 1401

Q12 The first athlete ran at 16000 ÷ (60 × 60) = 4.44 m/s, so was faster than the second athlete (at 4 m/s). The first athlete would take 37.5 mins to run 10 km; the second would take 41.7 mins.

Q13 a) 487.5 km   c) 497 km/h
b) 920.8 km

Q14 a) 8.13 m/s   b) 7.30 m/s

Q15 a) 220 km   b) 5 mins

Q16 180 m at 42 mph takes 4 hrs 17 mins.
180 m at 64 mph takes 2 hrs 49 mins.
So it stops for 1 hr 28 mins.

Answers: P.97 — P.101

Q17 a) 4.8 m/s
  b) 14.4 m/s
  c) 14.4 m/s
  d) 17.3 km/h, 51.8 km/h, 51.8 km/h.

Q18 2.05 mins, 2.07 mins, 2.13 mins.

Density P97

Q1 a) 0.75 g/cm^3
  b) 0.6 g/cm^3
  c) 0.8 g/cm^3
  d) 700 kg/m^3 = 0.7 g/cm^3

Q2 a) 62.4 g
  b) 96 g
  c) 3744 g (3.744 kg)
  d) 75 g

Q3 a) 625 cm^3
  b) 89.3 cm^3 (to 3 s.f.)
  c) 27778 cm^3 (27800 to 3 s.f.)
  d) 2500 cm^3

Q4 34.71 g

Q5 20968 cm^3

Q6 Vol. = 5000 cm^3 = 5 litres

Q7 1.05 g/cm^3

Q8 a) SR flour 1.16 g/cm^3;
    granary flour 1.19 g/cm^3
  b) 378 ml

Algebraic Fractions and D.O.T.S. P98

Q1 a) $(x + 3)(x - 3)$
  b) $(y + 4)(y - 4)$
  c) $(5 + z)(5 - z)$
  d) $(6 + a)(6 - a)$
  e) $(2x + 3)(2x - 3)$
  f) $(3y + 2)(3y - 2)$
  g) $(5 + 4z)(5 - 4z)$
  h) $(1 + 6a)(1 - 6a)$
  i) $(x^2 + 6)(x^2 - 6)$
  j) $(x^2 + y^2)(x^2 - y^2)$
  k) $(1 + ab)(1 - ab)$
  l) $(10x + 12y)(10x - 12y)$

Q2 a) $(x + 2)(x - 2)$
  b) $(12 + y^2)(12 - y^2)$
  c) $(1 + 3xy)(1 - 3xy)$
  d) $(7x^2y^2 + 1)(7x^2y^2 - 1)$

Q3 a) $\frac{3xy}{z}$ **c)** $\frac{1}{3xy^2z^3}$
  b) $\frac{12b^2}{c}$ **d)** $\frac{q^3}{2r^3}$

Q4 a) $\frac{2}{xy}$ **g)** $\frac{x^3}{5}$
  b) $\frac{3a^2b}{2}$ **h)** $\frac{12a^3b^2}{5}$
  c) $\frac{y}{2x^2}$ **i)** $\frac{3a^4c^3}{2bd}$
  d) $\frac{2qr^2}{3}$ **j)** 1
  e) $\frac{8x^2z^2}{y}$ **k)** $\frac{3rt^2}{2}$
  f) $\frac{90ac^4}{b}$ **l)** $\frac{d^6}{e^3f}$

Q5 a) $2x^2y$ **g)** $\frac{12yz}{x}$
  b) a **h)** $\frac{4a^3}{b}$
  c) $\frac{3x^2}{y}$ **i)** $\frac{5a^3}{b}$
  d) $\frac{pq}{2}$ **j)** $\frac{2x}{y^2z}$
  e) $2ef$ **k)** $\frac{6}{n}$
  f) $5x^3$ **l)** $\frac{7g}{f}$

Q6 a) $x = 5$
  b) $x = 2$

Algebraic Fractions P99

Q1 a) $\frac{3 + y}{2x}$ **g)** $\frac{3x + 2 + y}{24}$
  b) $\frac{1 + y}{x}$ **h)** $\frac{x + 2y - 2}{10}$
  c) $\frac{2xy}{z}$ **i)** $\frac{7x}{6}$
  d) $\frac{6x + 1}{3}$ **j)** $\frac{37x}{42}$
  e) $\frac{7x + 6}{x}$ **k)** $\frac{x(y + 3)}{3y}$
  f) $\frac{14x + y}{6}$ **l)** $\frac{xyz + 4x + 4z}{4y}$

Q2 a) $\frac{4x - 5y}{3}$ **g)** $\frac{z}{15}$
  b) $\frac{4x - 1}{y}$ **h)** $\frac{m(12 - n)}{3n}$
  c) $\frac{4x + 3y - 2}{2x}$ **i)** $\frac{b(14 - a)}{7a}$
  d) $\frac{2 - 2x}{x}$ **j)** $\frac{-p + 5q}{10}$
  e) $\frac{-1}{4x}$ **k)** $\frac{-3p - 4q}{4}$
  f) $\frac{4x - y}{6}$ **l)** $\frac{9x - 4y + xy}{3y}$

Q3 a) $\frac{a^2}{b^2}$ **f)** $\frac{11}{6x}$
  b) 1   **g)** $\frac{2(a^2 + b^2)}{a^2 - b^2}$
  c) $\frac{3}{2r}$ **h)** $\frac{3}{4}$
  d) $\frac{mn(pm + 1)}{p^2}$ **i)** $\frac{3x - 6y}{8}$
  e) $\frac{2x}{x^2 - y^2}$

Factorising Quadratics P100

Q1 a) $(x + 5)(x - 2)$
    $x = -5, x = 2$
  b) $(x - 3)(x - 2)$
    $x = 3, x = 2$
  c) $(x - 1)^2$
    $x = 1$
  d) $(x - 3)(x - 1)$
    $x = 3, x = 1$
  e) $(x - 5)(x + 4)$
    $x = 5, x = -4$
  f) $(x + 1)(x - 5)$
    $x = -1, x = 5$
  g) $(x + 7)(x - 1)$
    $x = -7, x = 1$
  h) $(x + 7)^2$
    $x = -7$
  i) $(x - 5)(x + 3)$
    $x = 5, x = -3$

Q2 a) $(x + 8)(x - 2)$
    $x = -8, x = 2$
  b) $(x + 9)(x - 4)$
    $x = -9, x = 4$
  c) $(x + 9)(x - 5)$
    $x = -9, x = 5$
  d) $x(x - 5)$
    $x = 0, x = 5$
  e) $x(x - 11)$
    $x = 0, x = 11$
  f) $(x - 7)(x + 3)$
    $x = 7, x = -3$
  g) $(x - 30)(x + 10)$
    $x = 30, x = -10$
  h) $(x - 24)(x - 2)$
    $x = 24, x = 2$
  i) $(x - 9)(x - 4)$
    $x = 9, x = 4$
  j) $(x + 7)(x - 2)$
    $x = -7, x = 2$
  k) $(x + 7)(x - 3)$
    $x = -7, x = 3$
  l) $(x - 5)(x + 2)$
    $x = 5, x = -2$
  m) $(x - 6)(x + 3)$
    $x = 6, x = -3$
  n) $(x - 9)(x + 7)$
    $x = 9, x = -7$
  o) $(x + 4)(x - 3)$
    $x = -4, x = 3$

Q3 $x = ½ , x = -½$

Q4 $x = 4$

Q5 a) $(x^2 - x)$ m^2
  b) $x = 3$

Q6 a) $x(x + 1)$ cm^2
  b) $x = 3$

Q7 a) x^2 m^2
  b) $12x$ m^2
  c) $x^2 + 12x - 64 = 0$
    $x = 4$

The Quadratic Formula P101-P102

Q1 a) 1.87, 0.13   **e)** 0.53, -4.53
  b) 2.39, 0.28   **f)** -11.92, -15.08
  c) 1.60, - 3.60   **g)** -2.05, -4.62
  d) 1.16, -3.16   **h)** 0.84, 0.03

Q2 a) -2, -6   **j)** 4, -5
  b) 0.67, -0.5   **k)** 1, -3
  c) 3, -2   **l)** 5, -1.33
  d) 2, 1   **m)** 1.5, -1
  e) 3, 0.75   **n)** -2.5, 1
  f) 3, 0   **o)** 0.5, 0.33
  g) 0.67   **p)** 1, -3
  h) 0, -2.67   **q)** 2, -6
  i) 4, -0.5   **r)** 2, -4

Answers: P.102 — P.106

Q3
a) 0.30, -3.30
b) 3.65, -1.65
c) 0.62, -1.62
d) -0.55, -5.45
e) -0.44, -4.56
f) 1.62, -0.62
g) 0.67, -4.00
h) -0.59, -3.41
i) 7.12, -1.12
j) 13.16, 0.84
k) 1.19, -4.19
l) 1.61, 0.53
m) 0.44, -3.44
n) 2.78, 0.72

Q4
a) 1.70, -4.70
b) -0.27, -3.73
c) 1.88, -0.88
d) 0.12, -4.12
e) 4.83, -0.83
f) 1.62, -0.62
g) 1.12, -1.79
h) -0.21, -4.79
i) 2.69, -0.19
j) 2.78, 0.72
k) 1.00, 0.00
l) 1.50, 0.50

Q5 $x^2 - 3.6x + 3.24 = 0$
$x = 1.8$

Q6 a) $x^2 + 2.5x - 144.29 = 0$
$x = 10.83$
b) 48.3 cm

Completing the Square P.103

Q1
a) $(x - 2)^2 - 9$
b) $(x - 1)^2$
c) $(x + \frac{1}{2})^2 + \frac{3}{4}$
d) $(x - 3)^2$
e) $(x - 3)^2 - 2$
f) $(x - 2)^2 - 4$
g) $(x + 1\frac{1}{2})^2 - 6\frac{1}{4}$
h) $(x - \frac{1}{2})^2 - 3\frac{1}{4}$
i) $(x - 5)^2$
j) $(x - 5)^2 - 25$
k) $(x + 4)^2 + 1$
l) $(x - 6)^2 - 1$

Q2
a) $x = 0.30, x = -3.30$
b) $x = 2.30, x = -1.30$
c) $x = 0.65, x = -4.65$
d) $x = 0.62, x = -1.62$
e) $x = 4.19, x = -1.19$
f) $x = 2.82, x = 0.18$
g) $x = 1.46, x = -0.46$
h) $x = 2.15, x = -0.15$

Algebra Crossword

Trial and Improvement P.104

Q1

Guess (x)	value of x³+x	Too large or too small
2	2³+2=10	Too small
3	3³+3=30	Too large
2.6	(2.6)³+2.6=20.2	Too small
2.7	(2.7)³+2.7=22.4	Too small
2.8	(2.8)³+2.8=24.8	Too large
2.75	(2.75)³+2.75=23.5	Too small

∴ To 1 d.p the solution is x=2.8

Q2

Guess (x)	value of x³+ x²- 4x	Too large or too small
-3	(-3)³ + (-3)² - 4(-3) = -6	Too small
-2	(-2)³ + (-2)² - 4(-2) = 4	Too large
-2.1	(-2.1)³ + (-2.1)² -4(-2.1) = 3.549	Too large
-2.2	(-2.2)³ + (-2.2)² -4(-2.2)= 2.99	Too small
-2.15	(-2.15)³ +(-2.15)² - 4(-2.15)=3.3	Too large

∴ To 1 d.p the solution is x=-2.2

Guess (x)	value of x³+ x²- 4x	Too large or too small
-1	-1 +1 +4 = 4	Too large
0	0 + 0 - 0 = 0	Too small
-0.8	(-0.8)³ + (-0.8)²- 4(-0.8) = 3.328	Too large
-0.7	(-0.7)³ + (-0.7)²- 4(-0.7) = 2.947	Too small
-0.75	(-0.75)³ +(-0.75)²- 4(-0.75)=3.141	Too large

∴ To 1 d.p the solution is x=-0.7

Guess (x)	value of x³+ x²- 4x	Too large or too small
1	1 +1 - 4 = -2	Too small
2	8 + 4 - 8 = 4	Too large
1.9	(1.9)³ + (1.9)² -4(1.9) = 2.869	Too small
1.95	(1.95)³ + (1.95)² -4(1.95) = 3.417	Too large

∴ To 1 d.p the solution is x=1.9

Q3 Try different values of x to 1 d.p. between 3 and 4 to see which gives the highest value of V, e.g:

Guess (x)	value of 4x³-80x²+400x
3	108-720+1200 = 588
4	256-1280+1600 = 576
3.5	171.5-980+1400 = 591.5
3.4	157.216-924.8+1360 = 592.416
3.3	143.748-871.2+1320 = 592.548
3.2	131.072-819.2+1280 = 591.872

∴ To 1 d.p the solution is x=3.3

Simultaneous Equations and Graphs P.105

Q1
a) $x = 0, x = 1$
b) $x = 2.7, x = -0.7$
c) $x = 3.4, x = -2.4$
d) $x = 1.6, x = -2.6$
e) $x = 0.7$
f) $x = 3.4, x = -2.4$
g) $x = 1.6, x = -2.6$

Q2
a) $x = 4, y = 18$ OR $x = -3, y = 11$
b) $x = 6, y = 28$ OR $x = -3, y = 1$
c) $x = 1.5, y = 4.5$ OR $x = -1, y = 2$
d) $x = -3, y = 33/5$ OR $x = 2, y = \frac{28}{5}$
e) $x = -\frac{1}{4}, y = \frac{17}{4}$ OR $x = -3, y = 40$
f) $x = -\frac{2}{3}, y = \frac{31}{3}$ OR $x = -4, y = 57$

Q3
a) $x = 5, y = 23$ OR $x = -2, y = 2$
b) $x = \frac{1}{3}, y = -\frac{29}{3}$ OR $x = 4, y = 38$
c) $x = \frac{1}{2}, y = -\frac{3}{2}$ OR $x = -2, y = 6$

Q4

x	-4	-3	-2	-1	0	1	2	3	4
-½ x²	-8	-4.5	-2	-0.5	0	-0.5	-2	-4.5	-8
+5	5	5	5	5	5	5	5	5	5
y	-3	0.5	3	4.5	5	4.5	3	0.5	-3

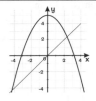

a) $x = 3.2, x = -3.2$
b) $x = 4, x = -4$
c) $x = 2.3, x = -4.3$

Q5 $3y + 2x = 18$
$y + 3x = 6$ $\quad\quad x = 0, y = 6$

$4y + 5x = 7$
$2x - 3y = 12$ $\quad\quad x = 3, y = -2$

$4x - 6y = 13$
$x + y = 2$ $\quad\quad x = 2\frac{1}{2}, y = -\frac{1}{2}$

Quadratic Graphs P.106

Q1

x	-4	-3	-2	-1	0	1	2	3	4
y=2x²	32	18	8	2	0	2	8	18	32

$y=2x^2$

Q2

x	-4	-3	-2	-1	0	1	2	3	4
x²	16	9	4	1	0	1	4	9	16
y=x²+x	12	6	2	0	0	2	6	12	20

$x=-\frac{1}{2}$

$y=x^2+x$

Q3 a)

x	-4	-3	-2	-1	0	1	2	3	4
3	3	3	3	3	3	3	3	3	3
-x²	-16	-9	-4	-1	-0	-1	-4	-9	-16
y=3-x²	-13	-6	-1	2	3	2	-1	-6	-13

Answers: P.107 — P.111

b)

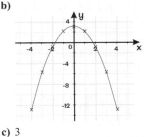

c) 3

Graphs to Recognise P.107-P.108

Q1
a) Cubic		**g)** Quadratic
b) Straight Line		**h)** Quadratic
c) Reciprocal		**i)** Straight Line
d) Quadratic		**j)** Cubic
e) Cubic		**k)** Cubic
f) Reciprocal		**l)** Quadratic

Q2
a) — ix)	**d)** — iv)	**g)** — vi)
b) — i)	**e)** — vii)	**h)** — v)
c) — ii)	**f)** — viii)	**i)** — iii)

Cubic Graphs P.109

Q1

x	-3	-2	-1	0	1	2	3
$y=x^3$	-27	-8	-1	0	1	8	27

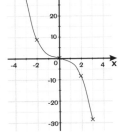

Q2

x	-3	-2	-1	0	1	2	3
$y=-x^3$	27	8	1	0	-1	-8	-27

Q3

x	-3	-2	-1	0	1	2	3
x^3	-27	-8	-1	0	1	8	27
+4	4	4	4	4	4	4	4
y	-23	-4	3	4	5	12	31

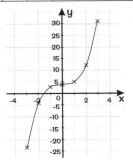

Q4

x	-3	-2	-1	0	1	2	3
$-x^3$	27	8	1	0	-1	-8	-27
-4	-4	-4	-4	-4	-4	-4	-4
y	23	4	-3	-4	-5	-12	-31

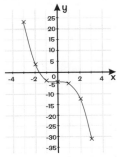

Q5 Graph has moved 4 units up the y-axis.

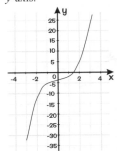

Q6 Graph has moved 4 units down the y-axis.

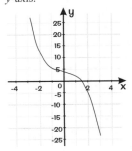

The Graphs of Sin and Cos P.110-P.111

Q1 A(180,0)
 B(90,1)   C(–90,–1)

Q2 D(270,0)   F(0,1)
 E(90,0)   G(–90,0)

Q3
A $y = \sin(x)$		F $y = \sin(x)$
B $y = \cos(x)$		G $y = \cos(x)$
C $y = \cos(x)$		H $y = \sin(x)$
D $y = \sin(x)$		I $y = \cos(x)$
E $y = \sin(x)$		

Q4

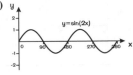

$y = \cos(x) +1$

Q5 **a)**

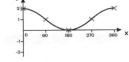

The graph $y = \sin(2x)$ is enlarged along the x-axis by a scale factor ½.

b)

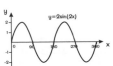

The graph $y = 2\sin(2x)$ is enlarged along the x-axis by a scale factor ½ and along the y-axis by a scale factor 2.

Q6

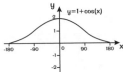

Whole graph moved up one unit on y-axis.

Q7

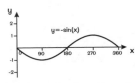

This is a reflection of $y = \sin(x)$ in the x-axis.

SECTION THREE — UNIT C

Answers: P.112 — P.115

Q8

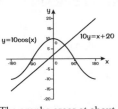

The graphs cross at about (48,6.8).
If $y = 10\cos x$ then $10y = 100\cos x$,
so where the graphs cross,
$100\cos x = x + 20$. This can be rewritten
as $20 = 100\cos x - x$, so where the graphs
cross is a solution to this equation.

Q9

X	0	10	20	30	40	50	60	70	80	90
sin x	0	0.17	0.34	0.5	0.64	0.77	0.87	0.94	0.98	1
(sin x)²	0	0.03	0.12	0.25	0.41	0.59	0.75	0.88	0.97	1

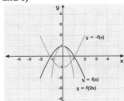

Graph Transformations
P.112-P.113

Q1 a) to d)

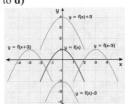

e) and f)

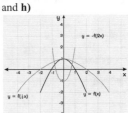

g) and h)

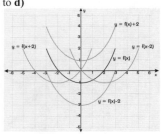

Q2 a) to d)

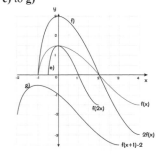

---

e) and f)

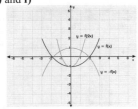

g) to i)

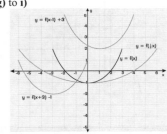

Q3 a) and b)

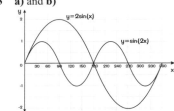

Q4 a) and b)

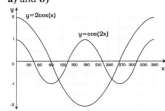

Q5 a) to d)

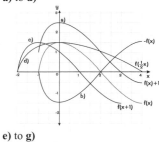

e) to g)

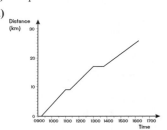

D/T Graphs and V/T Graphs
P.114-115

Q1 a) 4 km
  b) 15 mins and 45 mins
  c) 2.4 km/h   e) 10 km/h
  d) 1100   f) 1030

Q2 a) 85 mins   c) 16.9 mph
  b) 80 mins   d) 57.6 mph
  e) No, because the total driving time
     is 80 minutes.

Q3

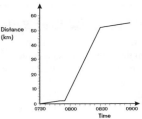

He waited for 5 mins.

Q4 a) A 80.0 km/h, fastest.
     B 57.1 km/h
     C 66.7 km/h
     D 44.4 km/h
     E 50.0 km/h
  b) steepest slope was fastest, least steep
     slope was slowest.

Q5 a) B   b) 3¾ mins
  c) B
  d) i) 267 m/min   ii) 16.0 km/h
  e) C was the fastest;
     700 m/min or 42 km/h

Q6 a)

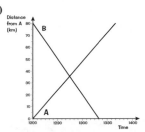

  b) accept 1243-1245
  c) accept 35-36 km

Q7 a)

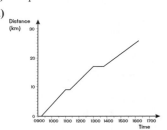

  b) 25.75 km   c) 3.68 km/h
  d) Her fastest speed was in the first section
     (steepest graph) — her speed was 5.14
     km/h.

Answers: P.116 — P.121

Perimeter and Area P.116-P.117

Q1 **a)** 44 cm   **c)** 68 cm
b) 20 cm   **d)** 68 cm

Q2 **a)** $\sqrt{9000}$ = 94.87 m.
b) Perimeter = 4 × 94.87
= 379.48 m (2 dp)
(379.47 m if you use $4 \times \sqrt{9000}$).

Q3 **a)** Shape A = 150 cm²
Shape B = 20 cm²
Total = 150 + 20 = 170 cm²
b) Shape A: 240 cm²
Shape B: 30 cm²
Total Area = 240 + 30 = 270 cm²

Q4 (6 × 5) – (2 × 3) = 24 m²

Q5 Area of metal blade =
½ × 35 × (70 + 155) =
3937.5 mm²

Q6 6 panels made up of 6 squares
0.6 m × 0.6 m = 0.36 m².
Total area of material =
6 × 0.36 = 2.16 m².

Q7 Base length = 4773 ÷ 43 = 111 mm.

Q8 Area of larger triangle =
½ × 14.4 × 10 = 72 cm².
Area of smaller triangle =
½ × 5.76 × 4 = 11.52 cm².
Area of metal used for a bracket =
72 – 11.52 = 60.48 cm².

Q9 **a)** 48 ÷ 5 = 9.6 m long
b) Area of 1 roll =
11 m × 0.5 m = 5.5 m².
48 m² ÷ 5.5 m² = 8.73 rolls,
so 9 rolls will be needed.

Q10 T_1: ½ × 8 × 16 = 64 m²
Tr_1: ½ × 8 × (8 + 16) = 96 m²
Tr_2: ½ × 4 × (8 + 12) = 40 m²
T_2: ½ × 8 × 12 = 48 m²
Total area of glass sculpture = 248 m²

Area P.118

Q1 **a)** 117.607 m²
b) 45.216 = 45 m to 2 s.f.
c) 46.5 m to 1dp.
d) 14.152 cm² to 3dp.

Q2 **a)** Area = area of a full circle radius
10 cm. A = πr^2 = 3.14 × 10²
= 314 cm².
Circumference = π × D = 3.14 × 20
= 62.8 cm. Perimeter = 62.8 + 20 =
82.8 cm
b) Area = (area of a full circle radius 15
cm) + (area of a rectangle 15 × 30
cm) = (π × 15²) + (15 × 30)
= 1156.5 cm².
Perimeter = (Circumference of a full
circle radius 15 cm) + 15 +15 (two
shorter sides of rectangle) =
(π × 30) + 30 = 124.2 cm.

c) Area = Outer semi circle – Inner
semi circle = 510.25 m².
Perimeter = ½ Circumference of
larger + ½ Circumference of inner
+ 5 + 5 = ½ × π × 70 + ½ × π × 60
+ 10 = 214.1 m.

Q3 **a)** ABDC = $\frac{60}{360}$ × π(30)² – $\frac{60}{360}$ ×
π(20)²
= 261.8 mm²
b) 2(½π5²) = 78.5 mm².
Hence 261.8 + 78.5 = 340.3 mm².
c) $\frac{1}{6}$πR²
d) $\frac{1}{6}$πR² – $\frac{1}{6}$πr² = $\frac{1}{6}$π(R² – r²)
e) $\frac{1}{6}$π(R² – r²) + π($\frac{R-r}{2}$)²

Q4 **a)** 80/360 × π5² = 17.45 cm²
b) Area of triangle AOB =
$\frac{1}{2}$ × 5 × 5 × sin80 = 12.31 cm².
Shaded Area = 17.45 – 12.31
= 5.14 cm²

Surface Area and Volume P.119-121

Q1 **a)** $\frac{1}{2}$π(0.35)² = 0.192 m²
b) 0.1924 × 3 = 0.577 m³

Q2 **a)** π(2.5² – 2²) = 7.07 m²
£16 × 7.07 = £113.12 = £110 to
nearest £10.
b) Volume = π(2)² × 0.50 = 6.28 m³
so use 6.28 × 15 = 94 ml treatment
to the nearest ml.

Q3 **a)** Volume Cube = Volume Cylinder
10³ = πr² × 10 so r² = $\frac{10^2}{\pi}$,
r = 5.64 cm
b) S.A. of cylinder = 2πrh + 2πr² =
2π × 5.64... × 10 + 2π × (5.64...)²
= 554.49 cm².

Q4 **a)** π(5)²(16) = 1257 cm³
b) π(5)²h = 600
h = $\frac{600}{25\pi}$ = 7.64 cm

Q5 (3)(3)(0.5) – π(0.7)²(0.5) = 3.73 cm³

Q6 **a)**
b)

Q7 (π × (2)² × 110) +
(½(14 + 20) × 6 × 20) = 3422.30 cm³
2 × 3422.30 = 6844.60 cm³ = 6.84 l

Q8 **a)** (60)(30) + (30)(120) = 5400 cm²
b) 5400 × 100 = 540000 cm³ =
0.54 m³

Q9 **a)** **i)** B = (0, 8, 5)   **ii)** D = (4, 8, 0)
b) (½ × 4 × 5) × 8 = 80 units³

Q10 AB² = 2² + 1.5² AB = 2.5 m
1 panel on roof = ½AB × $\frac{5}{2}$
= 1.25 × 2.5 = 3.125 m²
Front of greenhouse = (2.5 × 4) +
(½ × 4 × 1.5) = 13 m²
Total = 3.125 + 13 = 16.125 m²

Q11 **a)** $\frac{1}{2}$($\frac{4}{3}$π(1.3)³) + π(1.3)² × 1.8
+ $\frac{1}{3}$π(1.3)² × 1.2 = 16.28 cm³
b) Volume of sand in hemisphere and cone
parts remain the same so change is in
cylindrical part.
Therefore h + 0.3 = 1.8, h = 1.5 cm.
c) Volume of sand transferred =
$\frac{1}{2}$($\frac{4}{3}$π(1.3)³) + π(1.3)²×1.5
= 12.57 cm³
Time Taken = $\frac{12.57}{0.05}$ ≈ 251 secs.
= 4 minutes 11 secs.

Q12 **a)** Volume of ice cream
= $\frac{1}{3}$π(R²H – r²h) + $\frac{1}{2}$($\frac{4}{3}$πR³)
= $\frac{1}{3}$π(2.5² × 10 – 1² × 4)
+ $\frac{1}{2}$($\frac{4}{3}$π × 2.5³)
= 93.99 cm³ of ice cream.
b) Outer surface area of cone
= πRl
Using pythagoras,
l² = 10² + 2.5² = 106.25,
l = 10.3 cm. So S.A. =
π × 2.5 × 10.3 = 81.0 cm².

Q13 Vol. increase is a cylinder of height
4.5 cm. So vol. increase =
π(5)² × 4.5 = 353.4 cm³.
Volume of each marble = $\frac{353.4}{200}$
= 1.767 cm³
$\frac{4}{3}$πr³ = 1.767 => r = 0.75 cm

Q14 **a)** x(3 – x)(5 – x) m³ or x³ – 8x² + 15x
b)

x	0	1	2	3
V	0	8	6	0

c)

d) about 8.2 m³
e) ends   2(1.2)(1.8) =   4.32 +
side faces   2(1.2)(3.8) =   9.12 +
tops   2(3.8)(1.8) = 13.68
So area is about   27.12 m²

Answers: P.122 — P.126

f) $x = 2$ or $x = 0.6$
If $x = 0.6$:

ends	$2(0.6)(2.4) =$	$2.88 +$
side faces	$2(0.6)(4.4) =$	$5.28 +$
tops	$2(2.4)(4.4) =$	$\underline{21.12}$
		$29.28\ m^2$

If $x = 2$:

ends	$2(2)(1) =$	$4 +$
side faces	$2(2)(3) =$	$12 +$
tops	$2(1)(3) =$	$\underline{6}$
		$22\ m^2$

Maximum Total S.A. $\approx 29.28\ m^2$

Surface Area and Nets
P.122-P.123

Q1
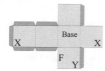

Q2
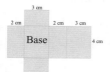

Other arrangements are possible.

Q3 **Q4**

Q5 **a)** Rectangle. **d)** HC, BE, AF.
b) AH, CF, BG. **e)** 8
c) DF, AG, BH.

Q6 **a)** 1 **b)** 1

Q7 **a)** 12
b) 7 **c)** 7

Q8 **a)** H, F and D
b) Line symmetry through lines AF, DH, BG and CE. Rotational symmetry of order 4.
c) 5 faces and vertices, 8 edges.

Q9 **a)** I
b) 64 cm²
c) 64 × 6 = 384 cm²
d)

Q10 E.g.

Q11 Net B

Projections and Converting Measures P.124

Q1 **a)** Front elevation:
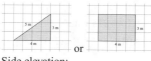
or
b) Side elevation:
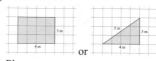
or
c) Plan:

Q2 **a)**
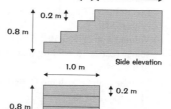
plan view   side elevation

b) Volume = $(3 \times 1 \times 1) + (3 \times 3 \times 2)$
$+ (3 \times 2 \times 1) = 27\ cm^3$.

Q3 **a)**

b) i) Area = $(1\ m \times 1.2\ m)$
$+ (1\ m \times 0.3\ m)$
$+ (1\ m \times 0.3\ m)$
$+ (1\ m \times 0.3\ m)$
$= 1.2\ m^2 + 0.3\ m^2 + 0.3\ m^2$
$+ 0.3\ m^2$
$= 2.1\ m^2$
ii) $2.1\ m^2 \times 100 \times 100 =$
$21\ 000\ cm^2$

Q4 **a)** $1.875\ m^3 \times 100 \times 100 \times 100$
$= 1\ 875\ 000\ cm^3$
b) Volume = $l \times b \times h$
$1.875\ m^3 = 2.5\ m \times 2.5\ m \times h$
$h = \dfrac{1.875}{2.5 \times 2.5}$
$h = 0.3\ m$

Q5 $0.72\ km^2 \times 1000 \times 1000 = 720\ 000$
m^2

Q6 **a)** $4\ m \times 4\ m \times 4\ m = 64\ m^3$
b) $64\ m^3 \times 100 \times 100 \times 100$
$= 64\ 000\ 000\ cm^3$

The Sine and Cosine Rules
P.125-P.127

Q1 | | |
|---|---|
| $a = 4.80$ cm | $f = 5.26$ cm |
| $b = 25.8$ mm | $g = 9.96$ cm |
| $c = 13.0$ cm | $h = 20.2$ mm |
| $d = 8.89$ m | $i = 3.72$ m |
| $e = 18.4$ cm | $j = 8.29$ cm |

Q2 | | |
|---|---|
| $k = 51°$ | |
| $l = 46°$ | $r = 64°$ |
| $m = 43°$ | $s = 18°$ |
| $p = 45°$ | $t = 49°$ |
| $q = 36°$ | $u = 88°$ |

Q3 | | |
|---|---|
| $a = 63°$ | $i = 5.0$ mm |
| $b = 45°$ | $j = 68°$ |
| $c = 8.9$ cm | $k = 203$ mm |
| $d = 27°$ | $l = 127$ mm |
| $e = 10.5$ cm | $m = 24.1$ cm |
| $g = 49°$ | $n = 149°$ |
| $h = 78°$ | $p = 16°$ |

Q4 **a)** 46°
b) 52° **c)** 82°

Q5 12.0 m

Q6 **a)** 28.8 km **b)** 295.5°

Q7

base = 7.04 cm   base = 8.39 cm

Q8
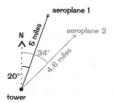

Distance = 1.2 miles.
The alarm should be ringing because the planes are less than 3 miles apart, so the software seems reliable.

Q9
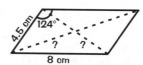

Diagonals 11.2 cm and 6.6 cm.

Q10 **a)** 16.9 m
b) 12.4 m
c) 25.8 m
d) 19.5 m

Answers: P.127 — P.132

Q11

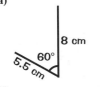

a) 86°
b) 323 km
c) 215°

Q12 a)

7.1 cm

b)

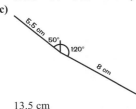

14.5 cm
(118.5° comes from the fact that the minute hand is at 19.75 mins.
19.75 ÷ 60 × 360 = 118.5.)

c)

13.5 cm

Q13 Height of building = 35 m

Q14

Mary's string = 5.85 m
Jane's string = 7.13 m

Probability P.128-P.132

Q1 1 − 1/4 = 3/4 or 0.75

Q2

1ˢᵗ TOSS	2ⁿᵈ TOSS H	T
H	HH	HT
T	TH	TT

a) 4 b) 1/4 c) 1/4

Q3

	SECOND DIE					
	1	2	3	4	5	6
1	2	3	4	5	6	7
2	3	4	5	6	7	8
3	4	5	6	7	8	9
4	5	6	7	8	9	10
5	6	7	8	9	10	11
6	7	8	9	10	11	12

There are 36 different combinations.
a) 1/36   e) 3/36 = 1/12
b) 5/36   f) 18/36 = 1/2
c) 3/36 = 1/12   g) 1 − 1/2 = 1/2
d) 6/36 = 1/6

Q4 1 − 0.7 = 0.3

Q5 1 − 0.2 − 0.5 = 0.3

Q6 a) 1/2   c) 1/6
b) 2/3   d) 0
And so should be arranged <u>approximately</u> like this on the number line.

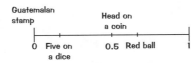

Q7 Debbie's chance of winning would be 1/9. This is greater than 0.1, so she would choose to play.

Q8 The probability of a head is still 1/2

Q9 1 − 0.27 = 0.73 or 73/100

Q10 a) 5/12   c) 3/12 = 1/4
b) 4/12 = 1/3   d) 9/12 = 3/4

Q11 a) 40/132 = 10/33
b) P(car being blue or green) = 45/132
P(not blue or green) = 87/132
= 29/44

Q12 a) 1/4
b) 1/4 × 100 = approx 25 days

Q13 a)

Outcome	Frequency
W	8
D	5
L	7

b) The 3 outcomes are not equally likely.
c) 1/4
d) They are most likely to win.

Q14 a) $\frac{1}{13}$ b) $\frac{2}{39}$ c) $\frac{1}{36}$

Q15 a) $\frac{7}{12}$ b) $\frac{7}{12}$
c) The two are not mutually exclusive (or other equivalent answer).

Q16 a) $\frac{2}{5}$ b) $\frac{4}{15}$ c) $\frac{2}{3}$

Q17 a) (1,1), (1,2), (1,3), (1,4), (1,5), (1,6), (1,7), (2,1), (2,2), (2,3), (2,4), (2,5), (2,6), (2,7), (3,1), (3,2), (3,3), (3,4), (3,5), (3,6), (3,7)

b)

	1	2	3	4	5	6	7
1	2	3	4	5	6	7	8
2	3	4	5	6	7	8	9
3	4	5	6	7	8	9	10

c) $\frac{1}{7}$ d) $\frac{11}{21}$
e) $\frac{2}{7}$ f) $\frac{5}{7}$
g) Subtract the answer to part **e)** from 1.

Q18 a)

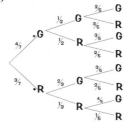

b) $\frac{18}{35}$
c) $\frac{3}{7}$

Q19 4 times

Q20

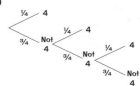

a) $\frac{3}{16}$
b) $\frac{37}{64}$

Q21 a)

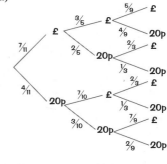

b) $\frac{28}{55}$ c) $\frac{46}{165}$

Q22 $\frac{1}{28}$

Q23 a) $\frac{1}{4}$
b) $\frac{1}{2}$ c) $\frac{1}{2}$

ISBN 978 1 84146 587 6

9 781841 465876

MRHA42